Bescherelle POCHE

Mieux rédiger

Adeline Lesot
agrégée de lettres modernes

Conception graphique : Massimo Miola
Mise en page : Julie Fabioux
© Hatier, Paris, 2018 ISBN 978-2-401-04462-3

PRÉSENTATION

Le Bescherelle Poche mieux rédiger est un ouvrage nomade destiné à tous ceux qui veulent améliorer rapidement leur expression écrite.

Il s'appuie sur de nombreux exemples pour répondre aux questions ou aux hésitations auxquelles vous êtes confronté(e) au quotidien, dans un cadre professionnel, scolaire ou personnel.

Vous souhaitez mieux construire vos phrases et varier votre expression,

le Becherelle Poche mieux rédiger vous livre les clés pour :

- éviter les fautes de construction
- éviter les mots inutiles, les lourdeurs et les confusions
- diversifier vos phrases
- écrire avec logique et clarté

Votre objectif est d'enrichir votre vocabulaire,

le Bescherelle Poche mieux rédiger vous invite à :

- comprendre la formation des mots d'origine grecque et latine
- distinguer les paronymes, homonymes, faux amis...
- trouver le mot juste en fonction du contexte

SOMMAIRE

COMMENT CONSTRUIRE SES PHRASES ET VARIER SON EXPRESSION

ÉVITER LES FAUTES DE CONSTRUCTION

ÉVITER LES MOTS INUTILES, LES OBSCURITÉS, LES LOURDEURS

ENRICHIR ET VARIER SON EXPRESSION

ÉCRIRE AVEC LOGIQUE

COMMENT ENRICHIR SON VOCABULAIRE ET UTILISER LE MOT JUSTE

COMPRENDRE LA FORMATION DES MOTS

NE PAS CONFONDRE LES MOTS

PRÉCISER ET VARIER SON VOCABULAIRE

Comment construire ses phrases et varier son expression

1 Choisir la bonne préposition

- *On connaît le fâcheux « aller au coiffeur », malencontreusement utilisé à la place d'« aller chez le coiffeur ».*
- *Une préposition mal employée suffit à compromettre la bonne tenue d'une phrase.*

Pour construire un complément, entre quelles prépositions peut-on hésiter ? Quelle est celle qui convient ?

À, *de* ou *avec* ?

Pour exprimer	Utiliser *à*	Utiliser *de*	Utiliser *avec*
la possession		C'est la bicyclette **d'**Arthur.	
l'appartenance		C'est la faute **de** son adjoint.	
la parenté		C'est le cousin **de** ma belle-sœur.	
le contenant sans son contenu	une tasse **à** thé (elle est vide mais contient habituellement du thé) un pot **à** eau un pot **à** confiture		
le contenant avec son contenu		une tasse **de** thé (on y a versé du thé) un pot **d'**eau un pot **de** confiture	

Pour exprimer	Utiliser *à*	Utiliser *de*	Utiliser *avec*
l'association après **associer, comparer, confronter, joindre**	Associer quelqu'un **à** un projet. Comparer le travail des enfants **à** un esclavage. Être confronté **à** ses responsabilités. Joindre un CV **à** un dossier.		
l'association après **associer, comparer, confronter**, quand il y a réciprocité parfaite			Associer du jaune **avec** du rouge. Comparer une clé **avec** une autre. Confronter les témoins **avec** le prévenu.

À, *chez* ou *en* ?

Pour désigner	Utiliser *à*	Utiliser *chez*	Utiliser *en*
un lieu où l'on va (nom de chose)	Je vais **à** la pharmacie.		
un lieu où l'on va (nom de personne)		Je vais **chez** le pharmacien.	

Pour désigner	Utiliser *à*	Utiliser *chez*	Utiliser *en*
le déplacement quand on est dans un moyen de locomotion			Circuler **en** voiture, **en** avion, **en** train, **en** bateau.
le déplacement quand on est sur un moyen de locomotion	Circuler **à** cheval, **à** bicyclette, **à** moto, **à** skis, **à** pied. (sans *s*)		

De, pour ou *en* ?

Pour désigner	Utiliser *de*	Utiliser *pour*	Utiliser *en*
le lieu d'où l'on vient	L'avion **de** Tunis a du retard.		
la direction où l'on se rend		L'avion **pour** Tunis a du retard.	
la matière	une tasse **de** porcelaine (*de* = langue soutenue)		une tasse **en** porcelaine un bijou **en** or
la matière (emplois figurés)	un moral **d'**acier un cœur **d'**or		

En, au(x) ou *à* ?

Devant un nom	Utiliser *en*	Utiliser *au(x)*	Utiliser *à*
de pays qui prend l'article *la* ou *l'*	la France → Il vit **en** France. l'Italie → Il vit **en** Italie. l'Uruguay → Il vit **en** Uruguay. *Remarque :* Israël *ne prend pas d'article. Mais il commence par une voyelle.* → Il vit **en** Israël.		
de pays qui prend l'article *le* ou *les*		le Portugal → Il vit **au** Portugal. les États-Unis → Il vit **aux** États-Unis.	
d'île qui prend l'article *la* ou *l'*	la Corse, la Sicile, l'Australie, l'Islande → Il vit **en** Corse, **en** Sicile, **en** Australie, **en** Islande.		
d'île sans article			Chypre, Malte, Cuba, Madagascar → Il vit **à** Chypre, **à** Malte, **à** Cuba, **à** Madagascar.

Pour les îles des départements et territoires d'outre-mer, l'usage est changeant. Conformément à la règle, on dit bien **en** Nouvelle-Calédonie. On disait autrefois à la Martinique et à la Guadeloupe ; mais on a tendance à dire aujourd'hui **en** Martinique, **en** Guadeloupe. Cependant on dit toujours **à** la Réunion (l'île de la Réunion).

Dans, *sur*, *en* ou *à* ?

Utiliser *dans*	Utiliser *sur*
Il l'a lu **dans** le journal, **dans** un livre.	Il l'a lu **sur** la couverture du magazine. Vous êtes **sur** la liste. Votre nom est **sur** la liste.
S'asseoir **dans** un fauteuil.	S'asseoir **sur** une chaise, **sur** un divan, **sur** un canapé.
Marcher **dans** la rue.	Marcher **sur** une avenue, **sur** un boulevard, **sur** une place.

Utiliser *sur*	Utiliser *à*
Il s'est trompé **sur** tous les plans.	Des vêtements produits **à** une grande échelle.
Il est irréprochable **sur** le plan moral.	On a des doutes **à** son sujet.
Il juge les gens **sur** leur apparence.	

Utiliser *en*	Utiliser *à*
Mon cousin est général **en** retraite.	Mon cousin est un fonctionnaire **à** la retraite. Il a hâte d'être mis **à** la retraire.
Une fête est organisée pour son départ **en** retraite.	Une fête est organisée pour son départ **à** la retraite.

2 Construire le verbe avec ou sans préposition ? avec *à* ? avec *de* ?

- **Surmonter l'adversité** *mais* **triompher de l'adversité.**
- **S'occuper à** *ou* **s'occuper de ranger** *?*

Après un verbe, faut-il **à** *? Faut-il* **de** *? Ne faut-il ni l'un ni l'autre ? « Dans le doute, abstiens-toi ! », dit-on…*
C'est là le danger : s'interdire d'employer une forme intéressante, faute de savoir construire le verbe. Mieux vaut apprendre à manier ces constructions en les distinguant.

Des verbes construits sans préposition ; avec *à* ; avec *de*

Certains verbes se construisent sans préposition :

- devant un infinitif ;

Les voisins **affirment** avoir tout entendu.
L'usager **déclare** avoir perdu sa carte de transport.
L'employé **désire** prendre ses vacances en juillet.
Le marathonien **espère** courir la saison prochaine.
L'infirmière **estime** avoir agi au mieux.
On **s'imagine** planer comme un oiseau.

- devant un nom.

Les bavards **accaparent** la conversation pendant des heures.
Les premiers renforts viendront **pallier** les difficultés d'approvisionnement.
Les spectateurs **se rappellent** les meilleurs moments du film.

D'autres verbes se construisent avec la préposition **à** :

- devant un infinitif ;

Son collègue l'**aide à** s'installer dans son nouveau poste.
Il **commence à** s'habituer à son nouveau poste.
Nous **cherchons à** joindre notre correspondant.
La municipalité **s'est engagée à** construire des logements.
Les colocataires n'**ont** pas **renoncé à** se défendre.
Ils **ont réussi à** s'entendre.
Ne **tardez** pas **à** rendre votre mémoire.

- devant un nom.

Ses supérieurs **ont acquiescé à** sa demande.
L'ocelot **s'apparente au** chat sauvage.
Les réfugiés **aspirent à** une vie meilleure.
Les experts **s'attendent à** une chute des températures.
Nous **collaborons à** la réussite de ce projet.
Peut-on fumer au volant sans **contrevenir au** Code de la route ?
Vous pourriez **déroger à** vos principes et vous montrer plus tolérant.
Les campagnes de la Sécurité routière **incitent à** la prudence.
La responsabilité **incombe à** la direction du club.
La police **a perquisitionné au** domicile du prévenu.
On doit **procéder à** un nouveau tour de scrutin.
Il faut **recourir au** dictionnaire en cas de doute.
Il **se réfère à** un article paru le mois dernier.
La séance permettra-t-elle de **remédier à** ses difficultés ?
Tous les membres de l'association **souscrivent à** ce projet.
Le jeune apprenti boulanger **succédera à** son père.

D'autres verbes encore se construisent avec la préposition **de** :

- devant un infinitif ;

Nous **sommes convenus de** nous retrouver tous les mois.
Il **envisage de** partir travailler à l'étranger.
On **a persuadé** les habitants **de** se réunir en association.

Il ne **s'est** jamais **repenti d'**avoir tenu ces propos.
Il **tente** par tous les moyens **de** résoudre le problème.

➡ devant un nom.

Les familles **bénéficieront d'**une réduction.
Il nous **a fait part de** son intention.
Le restaurant **jouit d'**une excellente réputation.
En quelques phrases, il **a rendu compte de** sa visite.

Des constructions différentes pour un même verbe

Attention aux verbes qui changent de construction, selon leur tournure et selon la nature de leur complément, tout en gardant le même sens.

Verbes	Exemples
avoir le plaisir de + infinitif	Nous **aurons le plaisir de** vous faire visiter nos ateliers.
avoir grand plaisir à + infinitif	Nous **aurons grand plaisir à** vous les faire visiter.
se faire un plaisir de + infinitif	Nous **nous ferons un plaisir de** vous les faire visiter.
consister en + pronom ou nom	**En** quoi **consiste** votre travail ? Il **consiste en** différentes missions.
consister à + infinitif	Mon travail **consiste à** entrer en contact avec les associations.
contraindre à + infinitif	On le **contraint à** partir.
être contraint de + infinitif	Nous **sommes contraints de** rester à la disposition des autorités.
être contraint à + infinitif (complément d'agent exprimé)	La famille **a été contrainte** par les ravisseurs **à** verser une rançon.
décider de + infinitif	Nous **avons décidé d'**intervenir.
être décidé à + infinitif	Nous **sommes décidés à** intervenir.
décider quelqu'un à + infinitif	Nous l'**avons décidé à** intervenir.
se décider à + infinitif	Nous **nous sommes décidés à** intervenir.

Verbes	Exemples
demander à + infinitif (les deux verbes ont le même sujet)	J'ai **demandé à** venir.
demander à quelqu'un de + infinitif (les actions sont faites par deux personnes différentes)	J'ai **demandé au** responsable **de** venir.
entreprendre + nom	La filiale **a entrepris** l'exploitation du site.
entreprendre de + infinitif	La filiale **a entrepris d'**exploiter le site.
excuser quelqu'un ou **quelque chose**	Vous voudrez bien nous **excuser.** Vous voudrez bien **excuser** notre retard.
excuser quelqu'un pour (ou **de**) **quelque chose**	Vous voudrez bien nous **excuser pour** (ou **de**) ce retard.
hériter de quelque chose	Les enfants **ont hérité d'**un heureux caractère.
hériter quelque chose de quelqu'un	Ils **ont hérité de** leur père un heureux caractère.
obliger à + infinitif	On **a obligé** l'automobiliste **à** souffler dans l'alcootest.
être obligé de + infinitif	L'automobiliste **a été obligé de** souffler dans l'alcootest.
être obligé par + **à** + infinitif (si le complément d'agent est exprimé) *Remarque : La construction est la même pour* **forcer quelqu'un à ; être forcé de ; être forcé par quelqu'un à.**	L'automobiliste **a été obligé par** les gendarmes **à** souffler dans l'alcootest.

Verbes	Exemples
préférer quelque chose à autre chose	**Préférer** les voyages **au** repos.
préférer + infinitif + **plutôt que (de)** + infinitif	**Préférer** voyager **plutôt que (de)** se reposer.
être reconnaissant envers quelqu'un	Il faut **être reconnaissant envers** ceux qui vous aident.
être reconnaissant à quelqu'un de quelque chose ou **de** + infinitif	Je **suis reconnaissant à** mes collègues **de** leur accueil si chaleureux (ou **de** m'avoir accueilli si chaleureusement).
refuser de + infinitif	Je **refuse de** vous suivre dans cette voie.
se refuser à + infinitif	Je **me refuse à** vous suivre dans cette voie.
remercier quelqu'un pour + nom (concret)	Je vous **remercie pour** votre cadeau, **pour** ces jolies fleurs.
remercier quelqu'un de + nom (abstrait)	Je vous **remercie de** votre aide, **de** votre accueil.
souhaiter + infinitif (les deux verbes ont le même sujet)	Je **souhaite** arriver le plus tôt possible.
souhaiter à quelqu'un de + infinitif (les actions sont faites par deux personnes différentes)	Je **souhaite à** Paul **d'**arriver le plus tôt possible.
transiger avec quelqu'un	Il a fallu **transiger avec** les organisateurs.
transiger sur quelque chose	Dans l'établissement, on ne **transige** pas **sur** la ponctualité.

Des verbes synonymes qui se construisent différemment

Il faut faire attention aux verbes qui ont le même sens mais qui ne demandent pas la même construction.

Verbes	Exemples
accepter de / consentir à	Le directeur **accepte de** / **consent à** vous recevoir.
assister à / être témoin de	Le vigile **a assisté à** / **a été témoin de** l'incident.
épouser / se marier avec	L'étudiante **a épousé** / **s'est mariée avec** son professeur.
espérer / compter sur	Nous **espérons** / **comptons sur** une livraison immédiate.
essayer, s'efforcer, tâcher de / chercher à	L'élève doit **essayer de, s'efforcer de, tâcher de** / **chercher à** progresser.
influencer / influer sur	L'opinion des journalistes ne devrait pas **influencer** / **influer sur** les électeurs.
obliger à / imposer de	La présence de radars nous **oblige à** / **impose de** réduire notre vitesse.
s'occuper de / chercher à	Je ne **m'occupe** pas **de** / ne **cherche** pas **à** savoir qui viendra.
permettre de / aider à	La lecture de l'article me **permet de** / m'**aide à** mieux comprendre la situation.
se permettre de / s'autoriser à	Il **se permet de** / **s'autorise à** quitter la réunion au bout d'une heure.
poursuivre / persévérer dans	L'élève en difficulté doit **poursuivre** / **persévérer dans** ses efforts.
promettre de / s'engager à	Le propriétaire **a promis d'**effectuer / **s'est engagé à** effectuer les travaux nécessaires.
se ranger à / s'aligner sur	Les indécis finiront par **se ranger à** / **s'aligner sur** l'opinion générale.
se rappeler / se souvenir de	Elle **se rappelle** / **se souvient de** ses dernières vacances.

Verbes	Exemples
songer à / envisager de	Le technicien **songe à / envisage de** démissionner.
utiliser / se servir de	Les lycéens **utilisent / se servent de** l'ordinateur pour leurs recherches.

Des verbes qui changent de sens selon leur construction

Il faut faire attention aux verbes qui n'ont pas le même sens quand on les construit sans préposition ; avec **à** ; avec **de** ; ou avec une autre préposition.

Verbes	Sens	Exemples
commencer à + infinitif	se mettre à	**Commencez à** répondre au courrier dès 9 heures pour avoir fini à midi.
commencer par + infinitif	faire en premier	**Commencez par** répondre au courrier ; ensuite vous préparerez les dossiers.
convenir à quelqu'un	lui aller, lui agréer	Cet arrangement **convient**-il **à** votre client ?
convenir de quelque chose ou de + infinitif	se mettre d'accord	Nous **étions convenus d'**un rendez-vous (ou **de** nous retrouver) dans le courant de la semaine.
défendre quelqu'un ou quelque chose	prendre la défense	Les acteurs engagés **défendent** le droit au logement.
défendre à quelqu'un de + infinitif	interdire	Les parents **défendent à** leurs enfants **de** jouer au ballon sur l'avenue.
finir de + infinitif	achever quelque chose	Il faudra **finir de** dîner avant 20 heures.

Verbes	Sens	Exemples
finir par + infinitif	en venir à, se décider finalement	Ils **ont fini par** reconnaître qu'ils avaient tort.
participer à quelque chose	prendre part	Les députés **participent au** débat parlementaire.
participer de quelque chose	présenter certains caractères communs	Une telle réflexion **participe du** pessimisme ambiant.
penser + infinitif	avoir l'intention de, compter	Le joueur **pense** réaliser le meilleur score.
penser à + infinitif	se souvenir	**Pense à** fermer la porte derrière toi.
répondre à	adresser une réponse	Impossible de **répondre à** tous les messages de soutien !
répondre de	être garant de	Je **réponds de** sa parfaite honnêteté.
témoigner quelque chose **à** quelqu'un	montrer, manifester	Envoie un petit mot à ton collègue pour lui **témoigner** ton amitié.
témoigner de quelque chose	se porter garant	Je peux **témoigner de** sa bonne foi.
témoigner contre ou **en faveur de** quelqu'un	servir de témoin à charge ou à décharge dans un procès	Je **témoignerai en faveur de** l'accusé.
traiter quelque chose	examiner, tenter de résoudre	Il faut **traiter** le problème avant qu'il ne se pose à nouveau.
traiter de quelque chose	avoir pour sujet	L'exposé **traitera de** l'histoire de la cravate.

3 Formuler des questions directes ou indirectes

- *Voulez-vous danser ? Pourquoi riez-vous ?*
- **Je vous demande simplement** *si vous voulez danser*.
- **J'aimerais bien savoir** *pourquoi vous riez...*

↳ *Les deux premières questions sont des interrogations directes; les deux dernières sont des interrogations indirectes.*

Les règles à respecter pour l'interrogation directe

Quand on pose une question directe, on peut :

- utiliser la tournure **est-ce que** ; cette tournure convient surtout à l'oral, on l'évitera à l'écrit ;

Est-ce que les ouvriers termineront les travaux avant la fin du mois?

Pourquoi **est-ce que** tu es parti avant la fin de la réunion?

- utiliser la construction avec l'inversion du pronom sujet ; cette tournure, plus correcte, est nécessaire à l'écrit.

Voudriez-vous recevoir une documentation à ce sujet?

Comment les enfants **seront-ils** assurés pendant le voyage scolaire?

On ne doit pas mêler les deux tournures (**est-ce que** + reprise et inversion du pronom sujet) ; il ne faut donc pas dire :

⊖ Comment est-ce que les enfants seront-ils assurés pendant le voyage scolaire?

On doit placer un point d'interrogation à la fin de la phrase.

Est-ce que vous aimeriez le rencontrer**?**

Le train arrivera-t-il à l'heure malgré les travaux**?**

Pour mieux écrire

L'emploi de est-ce que est indispensable dans certains cas.
La tournure **est-ce que**, bien qu'elle soit considérée comme familière, est indispensable avec certains verbes, même à l'écrit :

- avec les formes verbales qui ne comportent qu'une syllabe ;

On ne dit pas : ⊖ Ris-je ? Cours-je ? Dors-je ? Prends-je ? Rends-je ? Il faut dire : Est-ce que je ris ? Est-ce que je cours ? Est-ce que je dors ?...
EXCEPTION. On dit : Vais-je ? Fais-je ?

- avec les verbes dont la première personne se termine par **-ge**.

Il faut dire (pour éviter *-ge-je*) : Est-ce que je songe ? Est-ce que je plonge ? Est-ce que je range ?

Passer de l'interrogation directe à l'interrogation indirecte

Dans l'interrogation indirecte, la proposition interrogative devient subordonnée après un verbe introducteur comme **dire, raconter, ignorer, demander, se demander, préciser...**

Certains outils interrogatifs changent.

- **Est-ce que**, ainsi que la tournure avec le pronom inversé, deviennent **si**.

Est-ce que le groupe doit se rendre à la vallée Blanche ?
Le groupe doit-il se rendre à la vallée Blanche ?
→ Précisez **si** le groupe doit se rendre à la vallée Blanche.

- **Que** (ou **qu'est-ce que**) devient **ce que**.

Que pensez-vous des conditions d'hébergement ?
→ Dites-nous **ce que** vous pensez des conditions d'hébergement.

Qu'est-ce qu'il vous est arrivé pendant le trajet ?
→ Racontez aux organisateurs **ce qu'**il vous est arrivé pendant le trajet.

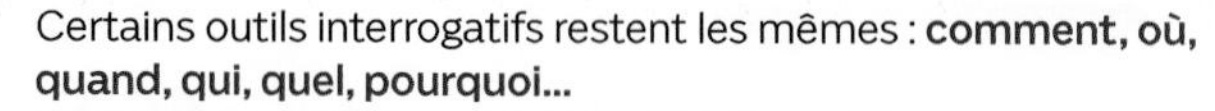

Certains outils interrogatifs restent les mêmes : **comment, où, quand, qui, quel, pourquoi...**

Précisez **comment** vous arriverez ; **où** l'on peut vous joindre ; **quel** organisme vous accompagne.

L'inversion du pronom personnel disparaît.

À quelle date les vacanciers arriveront-ils ?
Comment seront-ils hébergés ?
→ J'aimerais savoir à quelle date **les vacanciers arriveront** et comment **ils seront hébergés.**

Les règles à respecter pour l'interrogation indirecte

Quand on pose une question indirecte :

- Le verbe de la subordonnée se met à l'imparfait (ou au plus-que-parfait, ou au futur dans le passé) si le verbe introducteur est au passé.

Il m'**a demandé** si je **voulais** venir.

Pour mieux écrire

On ne doit pas coordonner dans la même phrase une interrogation indirecte et une interrogation directe.
Il ne faut pas dire : ⊖ Il serait intéressant de se demander pourquoi un tel sentiment existe et quels problèmes pose-t-il ?
Il faut dire : ... et quels problèmes il pose.
Il ne faut pas dire : ⊖ J'aimerais savoir si le petit déjeuner est compris ou est-ce qu'il est en supplément ?
Il faut dire : ... ou s'il est en supplément.

- Il ne faut pas de point d'interrogation à la fin de l'interrogation indirecte.

Indiquez-moi par courriel si l'heure de votre rendez-vous doit être changée.

4 Bien employer le *ne* explétif

● **Tout fait craindre que la planète *ne* se réchauffe plus vite que *ne* l'avaient prévu les experts.**

Dans cette phrase, le **ne** *qui est employé est « explétif », c'est-à-dire presque superflu.*

Qu'appelle-t-on *ne* explétif ?

Le **ne** explétif n'est pas une négation. Il s'agit d'une particule que l'on ajoute dans certains cas, sans lui donner de valeur négative particulière.

L'affaire a évolué autrement qu'on **ne** le prévoyait.

L'emploi du **ne** explétif appartient à la langue soutenue. Il apporte une certaine élégance à la phrase, mais il n'en modifie pas le sens.

Je crains toujours qu'il **n'**arrive trop tard.
Je crains toujours qu'il arrive trop tard.
Ces deux phrases ont exactement le même sens.

Quand emploie-t-on le *ne* explétif ?

On emploie le **ne** explétif :

- avec les verbes **craindre que, redouter que, avoir peur que...**

J'ai peur qu'il **ne** vienne après mon départ.

À noter

On ne doit pas confondre le **ne** explétif avec la véritable négation **ne pas**.
Je crains qu'il ne pleuve.
Cette phrase signifie : Je suis ennuyé si la pluie tombe.
Je crains qu'il ne pleuve pas.
Cette phrase signifie : Je suis ennuyé si la pluie ne tombe pas.

- avec les verbes **prendre garde que, éviter que, empêcher que...**

On veut à tout prix éviter qu'ils **ne** s'ennuient.

- avec **avant que, à moins que, de peur que, de crainte que...**

J'irai vous voir avant que vous **ne** partiez,
à moins que vous **n'**y voyiez un inconvénient.

- dans les subordonnées circonstancielles de comparaison exprimant l'inégalité : **plus, moins, pire, meilleur, autre, autrement... que...**

Il est moins tard que je **ne** pensais.

Autrefois, les sommets étaient beaucoup plus enneigés qu'ils **ne** le sont aujourd'hui.

5 Bien employer *dont*

- **Dont** *est un pronom relatif très utile mais souvent mal employé.*
- *Par peur de la faute, on l'évite, on le remplace, au risque de commettre une nouvelle faute.*

Pourtant, **dont** *signifie simplement* **de qui, de que.**

Quand faut-il employer *dont* ?

On emploie **dont** dans une proposition relative si le verbe, ou le nom, ou l'adjectif se construit avec la préposition **de**.

 Un **verbe** (ou une locution verbale) + **de** → on emploie **dont**

On **parle** beaucoup **de** cette question ces derniers temps. (parler de)
→ C'est une question **dont** on parle beaucoup ces derniers temps.

Il **s'agit d'**un cas difficile à traiter. (s'agir de)
→ Le cas **dont** il s'agit est difficile à traiter.

Notre société **a** bien **pris conscience de** ce problème. (prendre conscience de)
→ Voici un problème **dont** notre société a bien pris conscience.

Pour lutter contre l'isolement, nous **avons besoin de** solidarité. (avoir besoin de)
→ La solidarité, voilà ce **dont** nous avons besoin pour lutter contre l'isolement.

Pour mieux s'exprimer

- **Quel pronom faut-il employer quand le verbe est construit sans préposition ?**

Si le verbe se construit sans préposition, on emploie **que** dans la relative.

J'ai **interrogé** un témoin ; il ne se souvient de rien.
(interroger quelqu'un)
→ Le témoin **que** j'ai interrogé ne se souvient de rien.

• **Quel pronom faut-il employer quand le verbe est construit avec la préposition *à* ?**
Si le verbe se construit avec la préposition **à**, on emploie **auquel, à laquelle...** dans la relative.
Vous **faites référence à** une affaire très délicate.
(faire référence à quelque chose)
→ L'affaire **à laquelle** vous faites référence est très délicate.

Un **nom + de** → on emploie **dont**
J'ignore **la raison de** ce départ précipité ; il m'a surprise.
→ Ce départ précipité **dont** j'ignore la raison m'a surprise.

On ne doit pas sous-estimer **la valeur de** ce concurrent ; il peut gagner.
→ Ce concurrent, **dont** on ne doit pas sous-estimer la valeur, peut gagner.

Un **adjectif + de** → on emploie **dont**
L'enfant est très **fier de** cette expérience.
→ L'enfant a fait une expérience **dont** il est très fier.

Je me suis toujours senti **proche des** gens du voyage. Ils m'ont accueilli.
→ Les gens du voyage, **dont** je me suis toujours senti proche, m'ont accueilli.

Quand ne faut-il pas employer *dont* ?

Il ne faut pas employer **dont** avec un déterminant possessif. **Dont** exprime souvent l'appartenance et la possession ; dans ce cas, **dont** et le déterminant possessif **(son, sa, ses, leurs)** font double emploi. Il faut alors remplacer **son, sa...** par **le, la...**

Il a prononcé un beau discours. On comprend facilement **son** sens.
→ Il a prononcé un beau discours **dont** on comprend facilement **le** sens.

Cet acteur a joué dans *L'Avare*. J'apprécie beaucoup **son** humour.
→ Cet acteur, **dont** j'apprécie beaucoup **l'**humour, a joué dans *L'Avare*.

Il ne faut pas employer **dont** avec **en**.
Dont signifie : de quelque chose, de quelqu'un ; **en** est aussi l'équivalent de : de lui, d'elle(s), d'eux, de cela.
Dont et **en** font donc double emploi. Il faut supprimer **en** quand on emploie **dont**.

L'étudiant attend les documents. Il **en** a besoin pour travailler.
→ L'étudiant attend les documents **dont** il a besoin pour travailler.

La présentatrice a dit une bêtise. On n'a pas fini d'**en** rire.
→ La présentatrice a dit une bêtise **dont** on n'a pas fini de rire.

Il ne faut pas employer en même temps **de** et **dont**.
Dans une mise en relief du nom ou du pronom **(c'est lui, c'est cela)**, on ne doit pas employer **de** et **dont** dans la même phrase puisque **dont** signifie déjà : de quelque chose, de quelqu'un. On utilise **de** avec **que**, mais on ne l'emploie pas avec **dont**.

C'est **de** ce film **que** je parlais hier.
→ C'est ce film **dont** je parlais hier.

Ce n'est pas **de** ce sujet **qu'**il est question.
→ Ce n'est pas ce sujet **dont** il est question.

C'est **d'**elle **qu'**il s'agit.
→ C'est elle **dont** il s'agit.

C'est **de** cela **que** j'ai envie.
→ C'est cela **dont** j'ai envie.

6 Éviter les pièges de la coordination

● **Le cycliste évite** *et* **se méfie de la circulation sur les grands axes.** *La phrase est incorrecte.*

● **Le cycliste** *évite et redoute* **la circulation sur les grands axes.** *La phrase est correcte.*

Lorsque l'on coordonne deux verbes (ou deux adjectifs, ou deux compléments), on doit réfléchir à la façon dont se construisent ces éléments coordonnés.

Ne pas coordonner deux verbes construits différemment (avec *à*, *de* ou sans préposition)

Le responsable espère identifier et remédier aux dysfonctionnements.

Cette phrase est incorrecte car les deux verbes coordonnés se construisent différemment : ***identifier les*** *dysfonctionnements* (le verbe se construit sans préposition) ; ***remédier aux*** *dysfonctionnements* (le verbe se construit avec la préposition *à/aux*).

Il faut unifier la construction :
– soit en employant deux verbes de même construction, si on le peut ;

Le responsable espère **identifier** et **corriger** les dysfonctionnements.

– soit en reprenant le complément à l'aide d'un pronom.

Le responsable espère **identifier** les dysfonctionnements et **y remédier**.

Ne pas coordonner deux adjectifs construits différemment (avec *à* ou *de*)

La formatrice est attachée et responsable de votre progression.

Cette phrase est incorrecte car les deux adjectifs coordonnés se construisent différemment : ***attachée à** votre progression* (l'adjectif se construit avec *à*) ; ***responsable de** votre progression* (l'adjectif se construit avec *de*).

Il faut unifier la construction :
– soit en employant deux adjectifs de même construction, si on le peut ;

La formatrice est **soucieuse** et **responsable de** votre progression.

– soit en reprenant le complément à l'aide d'un pronom.

La formatrice est **attachée à** votre progression et elle **en** est **responsable**.

Ou : La formatrice est **attachée à** votre progression **dont** elle est **responsable**.

Ne pas coordonner des compléments qui ne sont pas de même nature

À éviter : la coordination entre un groupe nominal ou un infinitif **et** une proposition subordonnée conjonctive.

J'aime la mer et quand il y a du vent dans les dunes.

Je demande du silence et que vous sortiez en rang.

Il faudra que vos parents soient prévenus et apporter une autorisation signée.

Il faut unifier la construction :
– soit en employant deux noms compléments ;

J'aime **la mer** et **le vent** dans les dunes.

– soit en employant deux propositions subordonnées ;

Je demande **que vous fassiez silence** et **que vous sortiez en rang**.

– soit en employant deux infinitifs.

Il faudra **prévenir** vos parents et **apporter** une autorisation signée.

À proscrire : la coordination entre un groupe nominal et une proposition subordonnée interrogative indirecte.

⊖ On doit s'interroger sur l'évolution de la crise et quels effets elle aura dans les prochaines années.

⊖ Le conférencier va vous parler des pôles et s'ils sont menacés à court terme.

Il faut unifier la construction :

– soit en employant deux groupes nominaux ;

On doit s'interroger sur **l'évolution de la crise** et sur **ses effets** dans les prochaines années.

– soit en introduisant un nouveau verbe qui peut recevoir la subordonnée comme complément.

On doit **s'interroger** sur l'évolution de la crise et **se demander** quels effets elle aura dans les prochaines années.

Le conférencier va vous **parler** des pôles et vous **dire** s'ils sont menacés à court terme.

7 Quel mode utiliser dans les subordonnées introduites par *que* ?

- **La direction** *espère que* **vous** *examinerez* **favorablement cette demande.**
- **La direction** *souhaite que* **vous** *examiniez* **favorablement cette demande.**

Les verbes de ces propositions subordonnées sont à des modes différents : le premier est à l'indicatif, le second est au subjonctif. Le verbe principal (**espérer, souhaiter**) *détermine l'emploi de ces modes.*

Les verbes qui commandent le subjonctif

Certains verbes imposent le subjonctif dans la subordonnée conjonctive.

- les verbes qui expriment une **volonté** ; une **préférence** : **ordonner que, exiger que, vouloir que, demander que, il faut que ; préférer que, aimer que, il est préférable que...**
  Nous **exigeons que** vous **finissiez** votre travail.
  Je **préfère que** la porte **soit** fermée.

- les verbes qui expriment un **doute** ; une **crainte** : **douter que, il se peut que, il est possible que ; craindre que, redouter que, avoir peur que, éviter que, appréhender que, trembler que...**
  Les examinateurs **doutent que** le candidat **fasse** l'affaire.
  Je **crains qu'**il ne **vienne** pour rien.
  Traitez vos murs pour **éviter qu'**ils ne **prennent** l'humidité.

- les verbes qui expriment un **désir** ; un **regret** : **désirer que, souhaiter que, attendre que, tenir à ce que ; regretter que, déplorer que, être désolé que, se plaindre que, il est dommage, regrettable que...**

Il **désire que** vous **veniez** accompagnée.

Je suis **désolée que** vous ne **puissiez** pas vous libérer ce jour-là.

- les verbes qui expriment un **refus** ; une **acceptation** : **interdire que, empêcher que, il est inacceptable, intolérable que ; accepter que, admettre que...**

  Il faut **empêcher que** le témoin **sorte** par l'escalier principal.

  Le président **accepte** bien volontiers **que** vous **preniez** part au débat.

- les verbes qui expriment une **appréciation**, positive ou négative : **se réjouir que, apprécier que, être heureux que, juger bon que, aimer que... ; détester que ; trouver (in)juste, (a)normal, important, révoltant que...**

  Nous **sommes heureux** que vous ne **repartiez** pas les mains vides.

  Il **est juste qu'**un tel effort **obtienne** sa récompense.

- les verbes qui expriment un **étonnement** : **s'étonner que, être surpris que...**

  Nous **sommes surpris** que vous **arriviez** si tôt.

Les verbes suivis du subjonctif ou de l'indicatif

Certains verbes peuvent être suivis de l'indicatif ou du subjonctif, selon qu'ils sont à la forme affirmative, négative ou interrogative.

- **dire que, penser que, croire que, considérer que, supposer que...**

  - Ces verbes de **déclaration** ou d'**opinion** sont suivis de l'indicatif (ou du conditionnel) à la forme affirmative.

  Je **crois**, je **pense que** c'**est** (ou ce **serait**) le moment.

  - Mais ils sont généralement suivis du subjonctif à la forme négative ou interrogative.

  Je **ne crois pas**, je **ne pense pas que** ce **soit** le moment.

  Croyez-vous, **pensez**-vous **que** ce **soit** le moment ?

- Cependant, on emploiera plutôt l'indicatif pour exprimer le futur.

Je ne **crois** pas **que** le président du club **sera** réélu.

il me (te, lui, leur...) semble que...

- Ce verbe est suivi de l'indicatif (ou du conditionnel).

Il me **semble que** les autobus **sont** moins fréquents qu'autrefois.

Il me **semble qu'**on **pourrait** en faire circuler davantage sur la ligne.

- Mais il est généralement suivi du subjonctif à la forme négative.

Il **ne** me **semble pas que** les projets **aillent** dans ce sens.

il paraît que...

- Ce verbe est suivi de l'indicatif (ou du conditionnel).

Il **paraît que** vous **êtes** venu. Il **paraît qu'**il **serait** souffrant.

- Mais il faut le subjonctif à la forme négative.

Il **ne paraît pas qu'**un accord **soit** possible.

Des verbes qui changent de sens selon le mode utilisé

Certains verbes prennent un sens différent selon qu'ils sont suivis de l'indicatif ou du subjonctif.

admettre que

- **admettre que** + indicatif : reconnaître que

J'**admets** volontiers **qu'**ils **font** tout leur possible.

- **admettre que** + subjonctif : supposer, prendre comme hypothèse

Admettons que votre idée **soit** retenue...

- **admettre que** + subjonctif : accepter, tolérer

J'**admets qu'**on **puisse** s'absenter un quart d'heure, mais pas davantage.

comprendre que

comprendre que + indicatif : se rendre compte, déduire

Je **comprends**, à son air, **qu'**il **est** très déçu par ses résultats.

comprendre que + subjonctif : s'expliquer

Après tous ses efforts, je **comprends qu'**il **soit** déçu par ses résultats.

concevoir que

concevoir que + indicatif : se rendre compte, reconnaître

Je **conçois que** la tâche **était** difficile.

concevoir que + subjonctif : comprendre

Je **conçois qu'**on **puisse** renoncer.

supposer que

supposer que + indicatif : admettre, considérer comme un fait

Le professeur **suppose que** tout le monde **comprend** ; il ne répétera pas.

supposer que + subjonctif : faire une hypothèse

Supposons que le président **ait** un empêchement, maintiendrez-vous la réunion ?

8 Quel mode utiliser après les conjonctions de subordination ?

- *En admettant que* vous *changiez* d'avis, prévenez-nous.
- *Si* vous *changez* d'avis, prévenez-nous.
- *Au cas où* vous *changeriez* d'avis, prévenez-nous.

↳ *Bien qu'elles aient le même sens, les trois conjonctions de subordination imposent un mode différent au verbe qui les suit. La première est suivie d'un subjonctif; la deuxième, d'un indicatif; la troisième, d'un conditionnel.*

Les conjonctions suivies du subjonctif

Conjonctions de subordination	Exemples
qui expriment l'**opposition** :	
• quoique, bien que, encore que	Ils attendent toujours **quoiqu'**il y **ait** peu d'espoir.
• sans que	La situation s'est rapidement dégradée **sans qu'**on **ait pu** intervenir.
qui expriment le **temps** :	
• jusqu'à ce que, en attendant que	Faites cuire la tarte **jusqu'à ce que** la pâte **soit** bien dorée.
• avant que	Le documentaliste sera heureux de vous accueillir **avant que** vous ne **commenciez** vos recherches.
qui expriment le **but** :	
• pour que, afin que	Prévenez-le **pour qu'**il **vienne** vous chercher à la gare.
• de crainte que, de peur que...	Le piéton porte un gilet jaune **de peur qu'**un cycliste ne **survienne** brusquement.

Conjonctions de subordination	Exemples
qui expriment la **condition** :	
• à condition que, pour peu que, pourvu que	Nous acceptons votre offre **à condition que** vous nous **consentiez** une réduction.
• en admettant que, à supposer que	**En admettant que** nous ne **soyons** que cinq, l'assemblée peut-elle se tenir ?
• à moins que	Nous nous réunirons sur le parvis, **à moins qu'**il ne **pleuve**.
qui expriment la **cause** :	
• non que, non pas que, ce n'est pas que	Nous sommes un peu brouillés ; **non pas que** je lui en **veuille**, mais il m'a déçu.
qui expriment la **conséquence** :	
• de manière (à ce) que, de façon (à ce) que	Placez-vous **de manière à ce que** chacun **puisse** vous entendre.
• trop... pour que	Il est encore **trop** tôt **pour qu'**on **puisse** le dire.
qui expriment la **concession** :	
• quel que, qui que, quoi que	Le client, **quel qu'**il **soit**, mérite toute votre attention.
• si... que	**Si** tolérant **que** vous **soyez**, vous n'accepterez certainement pas cette attitude.

Les conjonctions suivies de l'indicatif

Conjonctions de subordination	Exemples
qui expriment l'**opposition** :	
• **alors que, tandis que**	Vous hésitez **alors que** vous **pouvez** le faire. C'est dommage.
qui expriment le **temps** :	
• **après que**	**Après que** vous vous **serez servis**, vous nous passerez le plat.
• **aussitôt que**	**Aussitôt que** vous **serez arrivé** à la gare, téléphonez-moi.
• **pendant que, tant que**	**Tant qu'**il **continuait** à jouer, l'acteur ne se sentait pas vieillir.
• **jusqu'au moment où**	Continuez **jusqu'au moment où** on vous **dira** d'arrêter.
• **dès que**	L'inspecteur est arrivé **dès que** le trafic **a été rétabli**.
qui expriment la **condition** :	
• **si, sauf si, même si**	**Si** j'**avais vérifié** l'heure, j'aurais enregistré l'émission.
• **dans la mesure où**	Les anciens élèves seront présents, **dans la mesure où** ils **pourront** se libérer ce jour-là.
qui expriment la **cause** :	
• **puisque, comme…**	**Puisque** vous le **savez**, dites-le.
qui expriment la **comparaison** :	
• **selon que, suivant que**	Le produit est plus ou moins frais **selon que** la pastille **reste** rouge ou **devient** verte.

Les conjonctions suivies du conditionnel

Conjonctions de subordination	Exemples
qui expriment la **condition** : • **au cas où, dans l'hypothèse où**	**Au cas où** j'**arriverais** en retard, commencez sans moi.
qui expriment l'**opposition** : • **quand bien même**	**Quand bien même** on m'**offrirait** la place, je n'irais pas voir le spectacle.

Cas particuliers

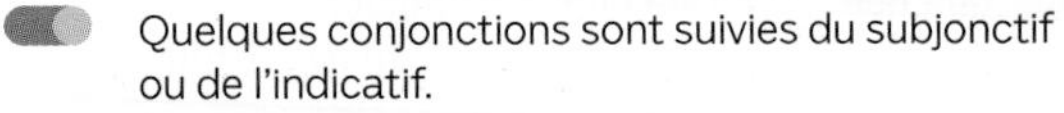

Quelques conjonctions sont suivies du subjonctif ou de l'indicatif.

Conjonctions de subordination	Exemples
qui expriment la **condition** : • **pour autant que**	L'exposition a été prolongée, **pour autant que** je **sache**. Vous serez le bienvenu, **pour autant que** vous **accepterez** les règles du jeu.
• **à condition que, à la condition que**	J'accepte d'emmener les enfants **à condition qu'**ils **se tiennent** tranquilles. J'accepte d'emmener les enfants **à la condition qu'**ils **se tiendront** tranquilles.

Quelques conjonctions sont suivies du conditionnel ou de l'indicatif.

Conjonctions de subordination	Exemples
qui expriment l'**opposition** : • **sauf que, si ce n'est que**	La sortie est bien organisée **sauf qu'**on **aimerait** savoir où se trouve la salle de restaurant. Tout est en place **sauf qu'**il **manque** un verre.

9 Éviter les pléonasmes

● **Monter en haut, descendre en bas, un petit nain, car en effet** *sont des pléonasmes bien connus.*

● *Mais d'autres associations de ce type, dans lesquelles les mots font double emploi, sont plus difficiles à détecter et donc à éviter.*

Ne pas redoubler des mots de même sens

Éviter les pléonasmes demande une bonne appréciation du vocabulaire : on doit être capable de reconnaître que deux mots sont porteurs du même sens afin de ne pas les employer ensemble.

⊖ abolir entièrement
Abolir signifie déjà *faire disparaître complètement, réduire à néant*.
Il faut dire : Abolir un usage, une loi.
1848, l'année où l'esclavage a été aboli en France.

⊖ allumer la lumière
Allumer contient déjà le mot *lumière*.
Il faut dire : Allumer une lampe.

⊖ l'apparence extérieure
Apparence signifie déjà *ce qui est visible de l'extérieur*.
Il faut dire : Ne pas juger sur l'apparence, ne pas se fier aux apparences.

⊖ commémorer un souvenir
Commémorer signifie déjà *rappeler le souvenir, faire mémoire*.
Il faut dire : Commémorer un événement, célébrer un anniversaire.

⊖ comparer ensemble, comparer entre eux
Comparer signifie déjà *mettre en relation, confronter plusieurs choses entre elles*.
Il faut dire : On a comparé les deux écritures.

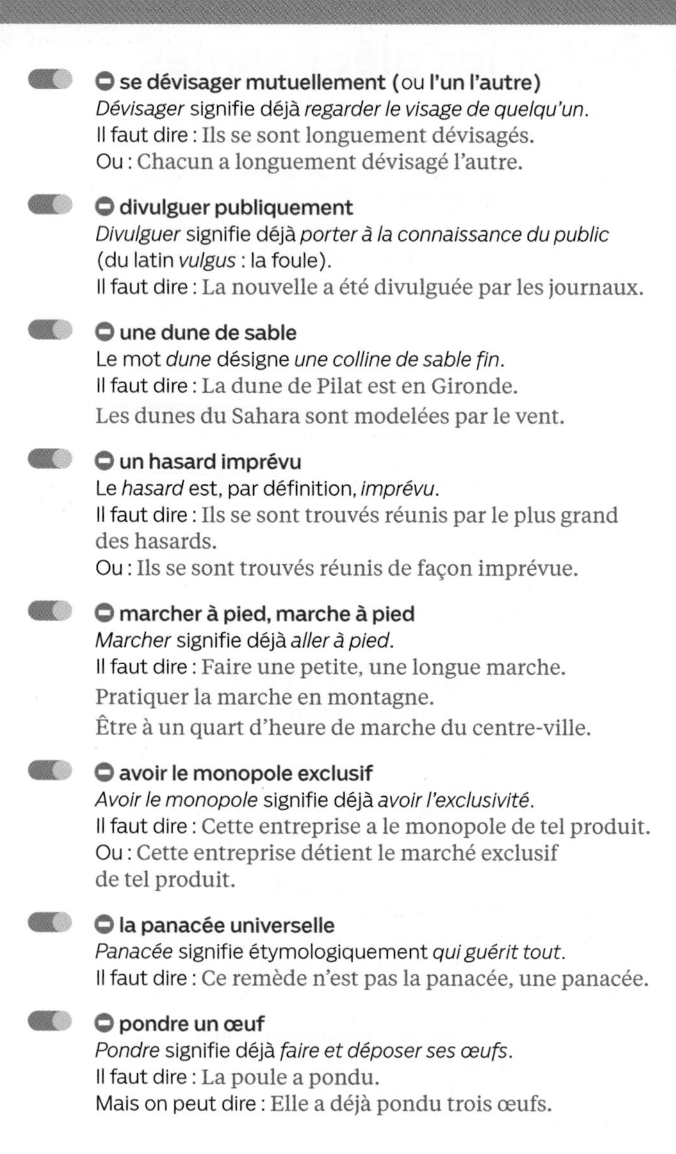

se dévisager mutuellement (ou **l'un l'autre**)
Dévisager signifie déjà *regarder le visage de quelqu'un*.
Il faut dire : Ils se sont longuement dévisagés.
Ou : Chacun a longuement dévisagé l'autre.

divulguer publiquement
Divulguer signifie déjà *porter à la connaissance du public* (du latin *vulgus* : la foule).
Il faut dire : La nouvelle a été divulguée par les journaux.

une dune de sable
Le mot *dune* désigne *une colline de sable fin*.
Il faut dire : La dune de Pilat est en Gironde.
Les dunes du Sahara sont modelées par le vent.

un hasard imprévu
Le *hasard* est, par définition, *imprévu*.
Il faut dire : Ils se sont trouvés réunis par le plus grand des hasards.
Ou : Ils se sont trouvés réunis de façon imprévue.

marcher à pied, marche à pied
Marcher signifie déjà *aller à pied*.
Il faut dire : Faire une petite, une longue marche.
Pratiquer la marche en montagne.
Être à un quart d'heure de marche du centre-ville.

avoir le monopole exclusif
Avoir le monopole signifie déjà *avoir l'exclusivité*.
Il faut dire : Cette entreprise a le monopole de tel produit.
Ou : Cette entreprise détient le marché exclusif de tel produit.

la panacée universelle
Panacée signifie étymologiquement *qui guérit tout*.
Il faut dire : Ce remède n'est pas la panacée, une panacée.

pondre un œuf
Pondre signifie déjà *faire et déposer ses œufs*.
Il faut dire : La poule a pondu.
Mais on peut dire : Elle a déjà pondu trois œufs.

la première priorité
Priorité signifie déjà *ce qui vient en premier*.
Il faut dire : Le pouvoir d'achat est la priorité du gouvernement.
Ou : Le pouvoir d'achat est la première préoccupation, la première tâche du gouvernement.

se relayer tour à tour
Se relayer signifie déjà *se remplacer l'un l'autre tour à tour*.
Il faut dire : Pour ce long trajet, nous nous sommes relayés au volant.
Ou : Nous avons pris le volant chacun à notre tour.

répéter deux fois la même chose
Répéter signifie déjà *redire* ou *dire deux fois*.
Il faut dire : Ne répétez pas ce que vous avez déjà dit.
Mais on peut dire : Répéter dix fois la même chose.

retenir d'avance
Retenir signifie déjà *réserver préalablement*.
Il faut dire : Vous auriez intérêt à retenir vos places.
Mais on peut dire : Retenir sa place une semaine à l'avance.

solidaires l'un de l'autre
Être solidaires signifie déjà *répondre l'un de l'autre*.
Il faut dire : Tous se sont montrés solidaires dans cette aventure.

assez suffisant
Suffisant signifie déjà qu'il y a *assez* de telle chose.
Il faut dire : Nos réserves d'eau sont bien suffisantes.

à l'unanimité de tous les présents
L'unanimité indique déjà l'accord de *tous* (ou de *tous les présents*).
Il faut dire : Le projet a été adopté à l'unanimité.
Ou : Le projet a été adopté par tous les présents ou par l'ensemble des présents.

opposer son veto
Le mot latin *veto* signifie déjà : *je m'oppose*.
Il faut dire : Mettre son veto.

Éviter certaines associations dans la phrase

On évite également les pléonasmes en supprimant les répétitions qui font double emploi dans l'organisation de la phrase.

- **D'avance, avant...** sont incompatibles avec **les verbes composés du préfixe *pré-* qui expriment déjà une action anticipée :** *prédire, prévenir, préparer, prévoir...*
  Il faut dire : Je l'ai prévenu depuis longtemps pour qu'il prenne ses dispositions. La direction aurait dû prévoir ce genre d'incident.

- **Encore** est incompatible avec **un verbe comportant déjà le préfixe de répétition *re-* :** *recommencer, refaire, redemander...*
  Il faut dire : Refaites l'exercice.
  Ou : Faites-le encore. Faites-le une nouvelle fois.

- **Ensemble** est incompatible avec **les verbes qui expriment déjà la mise en commun, l'action commune :** *collaborer, se concerter, débattre, joindre, mélanger, négocier, se réunir...*
  Il faut dire : Tous ont collaboré à cet ouvrage.

- **Environ** est à éviter avec ***ou***.
  Il faut dire : Il devait être huit heures et demie ou neuf heures.
  Ou : Il devait être environ neuf heures.
  Il faut dire : La ville est à huit ou dix kilomètres.
  Ou : La ville est à huit kilomètres environ ou à une dizaine de kilomètres.

- **Faire** est incompatible avec ***montrer*** puisque *montrer* signifie déjà ***faire** voir*.
  Il faut dire : Il va vous montrer comment il a réussi à assembler les pièces.
  Ou : Il va vous faire voir comment il a réussi.

- **Faire en sorte** est inutile et doit être supprimé après **les verbes *tâcher, s'efforcer...***
  Il faut dire : Les organisateurs doivent s'efforcer de satisfaire le plus grand nombre.

Ou : Les organisateurs doivent faire en sorte de satisfaire le plus grand nombre.

Mutuellement, les uns les autres, réciproquement, ensemble... sont incompatibles avec **les verbes composés du préfixe *entre*- qui expriment déjà une action mutuelle :** *s'entre-déchirer, s'entremêler, s'entretuer, s'entretenir*...
Il faut dire : Les habitants se sont entraidés.
Ou : Les habitants se sont aidés mutuellement.
Il faut dire : Nous nous entretiendrons de la situation de votre fils.
Ou : Nous parlerons ensemble de la situation de votre fils.

Ne... que est incompatible avec ***seulement, uniquement, juste...***
On ne doit pas employer en même temps les deux tournures.
Il faut dire : Vous n'avez qu'à vous présenter au guichet.
Ou : Vous avez seulement à vous présenter au guichet.
Il faut dire : C'est juste un détail.
Ou : Ce n'est qu'un détail.

Ne... que et **seulement** sont incompatibles avec **les verbes exprimant déjà la restriction :** *se borner à, se résumer à, se limiter à, s'en tenir à, se contenter de*...
Il faut dire : Dans un exposé de ce type, on doit se limiter à, s'en tenir à l'essentiel.
Ou : Dans un exposé de ce type, on ne doit traiter que l'essentiel.

Ou est incompatible avec ***sinon***. On n'emploiera donc pas les deux mots ensemble.
Il faut dire : Venez lundi, sinon ce sera trop tard.
Ou : Venez lundi, ou ce sera trop tard.

Permettre de... est à éviter avec ***pouvoir***.
Il faut dire : Son aide nous permet de nous organiser.
Ou : Grâce à son aide, nous pouvons nous organiser.

Le superlatif **(le plus, le moins)** ainsi que **très, entièrement...** sont incompatibles avec **des adjectifs qui ont déjà une valeur de superlatif :** *excellent, immense, imminent, omniprésent, maximum, minimum, supérieur*...

On ne dira pas non plus : ⊖ *au grand maximum*.
Il faut dire : Vous revendrez votre voiture deux mille euros au maximum.
Ou : Vous revendrez votre voiture tout au plus deux mille euros.
Pour la même raison, on ne dira pas ⊖ *de plus en plus omniprésent*. *Omniprésent* signifiant déjà *partout présent*, il ne peut l'être ni plus ni moins.
Il faut dire : Un phénomène de plus en plus présent.
Ou : Un phénomène qui tend à devenir omniprésent.

Pouvoir est incompatible avec ***(im)possible*** puisque *(im)possible* signifie déjà *(ne pas) pouvoir*.
Il faut dire : Il est impossible de s'adapter en si peu de temps.
Ou : On ne peut pas s'adapter en si peu de temps.

Pouvoir est également incompatible avec ***facile*** ou ***difficile***.
Il faut dire : Il est difficile pour les étrangers de lire certains journaux.
Ou : Les étrangers peuvent difficilement lire certains journaux.

Préférer est incompatible avec ***plutôt, plus, mieux...***
Il faut dire : Je préfère que vous veniez demain.
Ou : J'aimerais mieux que vous veniez demain.

Il suffit de est à éviter avec ***simplement***.
Il faut dire : Il suffit que je vérifie l'adresse.
Ou : Il faut simplement que je vérifie l'adresse.

Trop est incompatible avec **les mots qui expriment déjà l'abus, la quantité excessive :** *abuser, exagérer, excessif, extrême...*
Il faut dire : Il est recommandé de ne pas abuser des médicaments.
Ou : Il est recommandé de ne pas prendre trop de médicaments.
Il faut dire : Le mot est exagéré dans ce contexte.
Ou : Le mot est beaucoup trop fort dans ce contexte.

10 Éliminer les mots superflus

● **À, de, comme...** *Dans certains cas, ces mots sont inutiles. Ils encombrent le discours. Ils alourdissent la phrase. Et leur emploi est parfois incorrect.*

● *On a donc tout intérêt à les supprimer, à les éviter, ou bien à leur préférer une tournure plus légère.*

Les mots à supprimer

comme quoi

Comme quoi est une tournure fautive pour indiquer que l'on rapporte des propos. La conjonction **que** doit remplacer *comme quoi*.

On ne dit pas : ⊖ Le client nous a prévenus comme quoi il serait en retard.

⊖ J'ai été informée comme quoi mon fils s'était blessé à l'école.

Il faut dire : Le client nous a prévenus **qu'**il serait en retard. J'ai été informée **que** mon fils s'était blessé pendant l'école.

de dans ne faire que + infinitif

On ne dit pas : ⊖ Il n'a fait que de pleuvoir pendant nos vacances.

⊖ Je n'ai fait que de courir toute la journée.

Il faut dire : Il **n'a fait que** pleuvoir pendant nos vacances. Je **n'ai fait que** courir toute la journée.

de avant trop

On ne dit pas : ⊖ J'en ai de trop. Il boit de trop. Il travaille **de** trop. En faire de trop. Il faut dire : J'en ai trop. Il boit trop. Il travaille trop. En faire trop.

À noter

De est obligatoire dans : Il y a trois euros **de** trop.

ne après **sans que**
On ne doit pas employer la particule *ne* (*ne* dit explétif) après *sans que*.
On ne dit pas : ⊖ La décision a été prise sans que les intéressés ne puissent donner leur avis.
Il faut dire : La décision a été prise **sans que** les intéressés puissent donner leur avis.

un avec **un nom de profession, de fonction, de grade, de statut social...**
On ne doit pas employer l'article indéfini *(un, une, des)* avec un nom de profession, de fonction, de grade, de statut social... qui est attribut.
On ne dit pas : ⊖ Son mari est un chercheur en astrophysique.
⊖ Mon plus jeune fils aimerait être un député.
⊖ Ainsi, votre voisin est déjà un colonel !
⊖ Précisez si vous êtes un locataire ou un propriétaire.
Il faut dire : Son mari est **chercheur** en astrophysique.
Mon plus jeune fils aimerait être **député**.
Ainsi, votre voisin est déjà **colonel** !
Précisez si vous êtes **locataire** ou **propriétaire**.

Les mots à éviter

à dans **c'est chaque fois, chaque fois que**
On dit : C'est ~~(à)~~ chaque fois la même chose.
Le plombier se déplacera ~~(à)~~ chaque fois que vous aurez besoin de lui.

comme après **un verbe d'état**
Il faut éviter *comme* après un verbe d'état *(sembler, paraître...)* et après les verbes *apparaître, se montrer, s'avérer...* suivis d'un adjectif attribut.
On dit : La situation m'apparaît ~~(comme)~~ de plus en plus difficile.
À l'usage, l'appareil s'est avéré ~~(comme)~~ plus efficace que le précédent.

Comme est nécessaire après le verbe **considérer.**
On le considère **comme** compétent.

de avant un **adjectif** ou un **participe passé**
On dit : Vous avez une chaise ~~(de)~~ libre au premier rang.
Il y a un coureur ~~(de)~~ blessé dans le peloton.

Pour mieux écrire

De est obligatoire dans certains cas :
– après **en** : Sur les huit titres de l'album, il y **en** a trois **de** bons.
– après **ne... que** : Il **n'**y a **que** le premier **de** parfait.
– dans **de plus** (une heure **de** plus), **quoi de** (quoi **de** neuf), **rien de** (rien **de** nouveau sous le soleil).

de dans **c'est (de)**
On dit : C'est ~~(de)~~ sa faute.

étant après **comme**
Il faut éviter *étant* dans la tournure *comme* + nom ou adjectif.
On dit : Le champion le considère comme ~~(étant)~~ son meilleur adversaire.
Ils se sont désignés comme ~~(étant)~~ responsables.

être après un **verbe d'état** ou un **verbe de jugement**
Il faut éviter le verbe *être* après les verbes d'état *(paraître, sembler...)*, après le verbe *s'avérer*, ainsi qu'après les verbes *penser, croire, juger...*
On dit : Ces livres me paraissent ~~(être)~~ neufs.
Il semble ~~(être)~~ sûr de lui.
La situation s'avère ~~(être)~~ plus difficile que ce que prévoyaient les économistes.
Il sélectionne les chapitres qu'il croit ~~(être)~~ les plus intéressants.

Les tournures à préférer

par plutôt que **de par**
Il est préférable d'employer **par** plutôt que *de par* au sens de : *grâce à, à cause de, en raison de...*
Il vaut mieux dire : Elle a acquis la nationalité française (de) **par** son mariage.

que plutôt que **à ce que**
Il est préférable d'employer, dans une langue soutenue, **que** plutôt que *à ce que* :

- pour introduire une subordonnée complétive après les verbes : *aimer, s'attendre, consentir, demander, faire attention...*

Il vaut mieux dire : Le directeur aime (à ce) **qu'**on le prévienne dès que le client se présente.
Je ne m'attendais pas (à ce) **que** ce soit si rapide.
Je consens (à ce) **qu'**il me fasse des excuses.
Il a demandé (à ce) **que** vous fassiez connaître votre avis.
Faites attention (à ce) **qu'**il prenne bien son médicament.

- après les conjonctions : *de manière, de façon que...*

Il vaut mieux dire : Parlez de façon (à ce) **qu'**on vous comprenne.
Préparez-vous de manière (à ce) **qu'**on ne soit pas en retard.

Pour mieux écrire

Il ne faut pas confondre à ce que et à + ce + pronom relatif.
- La tournure **à ce que** est lourde et inutile.
- La tournure composée de la préposition **à + ce + pronom relatif** est parfaitement correcte.

Faites attention **à ce qu'**on dit.
Je ne m'attendais pas **à ce que** vous m'avez offert.

que plutôt que **de ce que**
Il est préférable d'employer **que** plutôt que *de ce que* pour introduire une subordonnée complétive après les verbes : *s'étonner, s'inquiéter, se plaindre*.

Il vaut mieux dire : Le conférencier s'étonne **que** le président de séance ne soit pas encore arrivé.

Je m'inquiète **que** vous soyez parti si vite.

Les voisins se plaignent **que** le contrebassiste fasse du bruit.

Plutôt que : Le conférencier s'étonne de ce que le président de séance n'est pas encore arrivé.

Je m'inquiète de ce que vous êtes parti si vite.

Les voisins se plaignent de ce que le contrebassiste fait du bruit.

À noter

Pour les verbes *s'étonner*, *s'inquiéter*, *se plaindre*, on n'utilise pas le même mode dans les deux constructions. Il faut le subjonctif après **que** et l'indicatif après **de ce que**.

Pour mieux écrire

Il ne faut pas confondre de ce que et de + ce + pronom relatif.

- La tournure **de ce que** est lourde et inutile.
- La tournure composée de la préposition **de + ce + pronom relatif** est parfaitement correcte.

Il s'inquiète **de ce que** disent les journaux.

Je vous informerai **de ce que** nous avons fait pendant votre absence.

quelque chose + adjectif plutôt que **quelque chose + qui est + adjectif**

Il est préférable, quand cela permet d'alléger la phrase, de supprimer *qui est*, *qui sont*, entre le nom et l'adjectif.

Il vaut mieux dire : Rappelons ce simple **fait** (qui est) **connu** de tous.

Ces documents constituent des **preuves** (qui sont) facilement **vérifiables**.

Vous abordez maintenant des **études** (qui sont) **déterminantes** pour votre avenir.

11 Supprimer les ambiguïtés

C'est en glissant sur une peau de banane que l'histoire de la vieille dame commence vraiment. Et je suis sûre que vous la trouverez aussi affreuse que moi.

Des maladresses dans le maniement de certaines tournures peuvent produire des ambiguïtés.
On doit repérer ces risques pour clarifier le propos.

Comment éviter toute ambiguïté dans la phrase interrogative ?

Qui cherche le directeur ?

- Cette phrase est ambiguë :
– *qui* est-il sujet du verbe ?
(= Quelqu'un cherche le directeur. *Qui ?*)
– *qui* est-il COD du verbe ?
(= Le directeur cherche quelqu'un. *Qui ?*)

- Si l'on veut signaler clairement que le pronom interrogatif *qui* est le COD, on doit pratiquer l'inversion et la reprise du sujet *le directeur* par un pronom : Qui le directeur cherche-t-**il** ?

Quelle spectatrice a embrassé Johnny ?

- Cette phrase aussi prête à confusion :
– *la spectatrice* est-elle sujet du verbe ?
(= Une spectatrice a embrassé Johnny. *Laquelle ?*)
– *la spectatrice* est-elle COD du verbe ?
(= Johnny a embrassé une spectatrice. *Laquelle ?*)

- Pour indiquer clairement où est le COD :
– on doit pratiquer l'inversion et la reprise du sujet *(Johnny)* par un pronom ;
Quelle spectatrice Johnny a-t-**il** embrassée ?
– on peut aussi différencier le sujet et le COD à l'aide d'une proposition relative.
Quelle est la spectatrice qui a embrassé Johnny ?
Quelle est la spectatrice que Johnny a embrassée ?

Comment éviter toute ambiguïté dans l'emploi des pronoms personnels ?

Dès qu'il est entré, Jean a embrassé son fils.

- Qui est entré ? *Jean* ou *son fils* ? Un pronom personnel doit renvoyer au nom qu'il représente sans confusion possible. Ici, le pronom *il* a deux référents dans la phrase : le sujet *(Jean)* et le COD *(son fils)*. Il y a ambiguïté.

- Pour lever l'ambiguïté, il faut transformer la phrase afin que le pronom personnel renvoie au nom qu'il représente sans confusion possible :
  – si *il* = *Jean*, il faut dire : Dès que Jean est entré, il a embrassé son fils.
  – si *il* = *son fils*, il faut dire : Dès que son fils est entré, Jean l'a embrassé.
  Ou Jean a embrassé son fils dès que celui-ci est entré.

Le DVD que Paul a offert à son fils l'intéressait beaucoup.

- Qui ce DVD intéresse-t-il ? *Paul* ou *son fils* ?

- Pour lever l'ambiguïté, il faut transformer la phrase afin que le pronom personnel renvoie au nom qu'il représente sans confusion possible :
  – si *Paul* est intéressé, il faut dire : Le DVD qu'il a offert à son fils intéressait beaucoup Paul.
  – si *le fils* est intéressé, il faut dire : Le DVD que Paul a offert à son fils intéressait beaucoup celui-ci.

À noter

Les pronoms **celui-ci/celle-ci, ceux-ci/celles-ci** renvoient toujours au dernier nom cité dans la phrase.

Si les enfants risquent d'être attaqués par les chiens, enfermez-les.

- Qui faut-il enfermer ? le sujet *les enfants* ou le complément d'agent *les chiens* ?

Pour lever l'ambiguïté (il s'agit bien des *chiens*), il faut mettre la subordonnée à la forme active ; il faut dire : Enfermez les chiens, s'ils risquent d'attaquer les enfants.

Comment supprimer toute ambiguïté dans l'emploi du gérondif et des participes ?

En sortant de chez lui, un individu l'aborda.

Qui sort de chez lui ? *L'individu* qui aborde ou celui qui est abordé ? La phrase prête à confusion.

Pour éviter toute ambiguïté, le gérondif et le participe, en position détachée, doivent se rapporter clairement au sujet de la proposition principale.

Si c'est *l'individu abordé* qui sort de chez lui, il faut dire : En sortant de chez lui, il fut abordé par un individu.
L'auteur de l'action exprimée par le gérondif (en sortant) est bien le même que le sujet du verbe principal.

Étant empêché ce jour, je viendrai sans mon collaborateur à notre rendez-vous.

Qui est empêché ? La règle voudrait que ce soit *je*, mais le sens l'interdit puisque *je* se rendra au rendez-vous.

Pour lever l'ambiguïté :
– il faut donner le même sujet au participe et au verbe principal ;
Étant empêché ce jour, mon collaborateur ne m'accompagnera pas à notre rendez-vous.

– ou bien donner au participe un sujet propre.
Mon collaborateur étant empêché ce jour, je viendrai seul à notre rendez-vous.

Licencié depuis peu, mon fils de six ans supporte difficilement ma nouvelle vie.

Qui a été licencié ? La règle voudrait que ce soit le *fils de six ans* mais la phrase est alors contraire au bon sens.

Pour lever l'ambiguïté :
– il faut donner le même sujet au participe et au verbe principal
Licencié depuis peu, je vois mon fils supporter difficilement ma nouvelle situation.

– on peut aussi renoncer au participe.

Je suis licencié depuis peu et mon fils supporte difficilement ma nouvelle situation.

Pour mieux écrire

L'adjectif en position détachée doit aussi se rapporter au sujet du verbe.

La phrase suivante est ambiguë et incorrecte.

Victime de plusieurs dégâts des eaux, mon assureur peut-il résilier mon contrat avant l'échéance ?

Pour lever l'ambiguïté :

– il faut dire : Victime de plusieurs dégâts des eaux, puis-je voir mon contrat résilié par mon assureur avant l'échéance ?

– ou bien inclure l'adjectif dans une proposition subordonnée : Sous prétexte que j'ai été victime de plusieurs dégâts des eaux, mon assureur peut-il résilier mon contrat avant l'échéance ?

Comment éviter toute ambiguïté dans l'emploi de l'infinitif ?

Avant d'épouser ta sœur, viens donc chez moi partager un dîner de célibataires.

- Qui épouse qui ? La phrase est confuse et absurde.
- Pour éviter toute ambiguïté, l'infinitif employé comme complément circonstanciel doit avoir le même sujet que le verbe principal. Ici, l'erreur commise produit un non-sens.
- Pour que la phrase soit correcte, il faut :

– modifier le sujet du verbe principal ;

Avant d'épouser ta sœur, je t'invite à venir chez moi partager un dîner de célibataires.

– ou bien transformer l'infinitif et donner à la proposition subordonnée un sujet propre.

Avant que je n'épouse ta sœur, viens donc chez moi partager un dîner de célibataires.

12 Limiter les répétitions grâce aux mots de reprise

● **Le jeune pianiste a étonné ses maîtres.** *Ceux-ci* **ont décelé des dons exceptionnels chez** *cet interprète de dix ans* **et** *ils le lui* **ont signifié en** *lui* **attribuant premiers prix, médailles d'or...** *Les récompenses* **ne manquent pas au** *musicien prodige.*

↳ *Dans ce texte, on est amené à parler plusieurs fois de la même chose. Des mots, mis ici en italique, permettent de reprendre d'autres mots ou groupes de mots, sans avoir à les répéter.*

Utiliser les reprises pronominales

Puisque les pronoms sont des **représentants**, ils permettent de reprendre un élément déjà mentionné sans avoir à le nommer une nouvelle fois.

- Les **pronoms personnels de la troisième personne** : ils représentent le nom.

  La ponctuation est utile à **votre lecteur. Elle l'**aide à suivre votre pensée.

- Les pronoms **en** et **y** : ils peuvent remplacer un complément d'objet indirect non animé, parfois une proposition entière (**en** = **de** + complément ; **y** = **à** + complément).

  Cette affaire est urgente. Il faut s'occuper immédiatement **de cette affaire.**
  → Il faut s'**en** occuper immédiatement.

  Envoyez une lettre de motivation. Joignez **à cette lettre** la photocopie de votre diplôme.
  → Joignez-**y** la photocopie de votre diplôme.

  Pensez à faire renouveler **votre carte d'abonnement**.
  → J'**y** penserai.

Les **pronoms démonstratifs** : ils peuvent représenter un groupe nominal déjà énoncé.

La mesure concerne les salariés du privé
aussi bien que **les salariés** du public.
→ [...] aussi bien que **ceux** du public.

Cela peut reprendre une proposition entière.

Le train part à 8 h 17 ? Cela m'étonne.

Les **pronoms possessifs** : ils permettent de remplacer un nom précédé d'un déterminant possessif.

Tous les enfants étaient contents du voyage.
Les vôtres (= vos enfants) en particulier avaient l'air ravis.

Les **pronoms indéfinis** : ils permettent de désigner un groupe dans un ensemble déjà nommé.

Tous **les anciens élèves** étaient invités.
Certains n'ont pas pu venir.

Le **pronom neutre le** : il est invariable. Il peut reprendre un nom, un adjectif, un groupe verbal, une proposition.

Les enfants sont **fatigués après leur journée de voyage.**
Les organisateurs **le** sont aussi.

Les marchandises seront livrées avant le 10 mars.
Du moins, je **l'**espère.

Utiliser les mots substituts

Les **substituts** sont des équivalents qui permettent de renvoyer plusieurs fois au même référent. Ils assurent l'enchaînement des phrases tout en évitant les répétitions.

Les **synonymes** : il s'agit de mots de même sens, ou presque.

la manifestation ↔ le rassemblement ↔ le cortège
↔ le défilé empruntera le parcours habituel.

Les **périphrases** : elles reprennent un mot par une expression détournée.

le ministre des Affaires étrangères
↔ le chef de la diplomatie rencontrera son homologue.

Les **termes génériques** : ils servent à inclure le mot déjà cité à l'intérieur de sa catégorie, dans son « genre ».

la baleine → le cétacé → le mammifère → l'animal

Les **mots englobants** : il s'agit de mots qui résument. Ils reprennent un ensemble, une énumération par exemple.

l'histoire, la sociologie, la psychologie, l'anthropologie → les sciences humaines

13 Alléger les phrases

● *Dans son rythme et sa démarche, une phrase a parfois le pas lourd, mais il est possible de l'alléger.*

Éviter *il y a, est-ce que, le fait que*

Éviter **il y a**, expression lourde et banale.

- On doit commencer par le supprimer partout où il n'est pas indispensable au sens de la phrase.

Il y a quelqu'un qui désire vous parler.
→ Quelqu'un désire vous parler.

- On peut le remplacer par un déterminant indéfini.

Il y a des invités qui n'ont pas encore répondu.
→ Quelques (certains, plusieurs) invités n'ont pas répondu.

- On peut le remplacer par un verbe de sens précis.

Il y a eu un accident sur le boulevard périphérique.
→ Un accident s'est produit sur le boulevard périphérique.

- On peut remplacer *où il y a* par un adjectif qualificatif.

Les spectateurs se sont installés du côté où il y a du soleil.
→ Les spectateurs se sont installés du côté ensoleillé.

Éviter l'abus des **est-ce que** dans l'interrogation.

- On doit choisir le plus souvent possible l'interrogation avec inversion et reprise du pronom.

Où est-ce que vous allez ? → Où allez-vous ?
Comment est-ce que vous faites ? → Comment faites-vous ?

- On peut du même coup supprimer les mots parasites.

Qu'est-ce qu'il a comme métier ? → Quel est son métier ?

Éviter **le fait que**, qui alourdit la phrase.

- On peut parfois utiliser un infinitif.

Le fait que vous changiez de trajet vous fera gagner du temps.
→ Changer de trajet vous fera gagner du temps.

On peut aussi employer un participe.

Le fait que vous soyez bien préparé multiplie vos chances de réussite.
→ Bien préparé, vous multipliez vos chances de réussite.

Ne pas abuser des participes et des gérondifs

On a parfois intérêt à limiter les sonorités en *-ant* des participes et des gérondifs.

On peut transformer les participes et les gérondifs compléments circonstanciels placés en tête de phrase par des noms compléments circonstanciels.

En attendant votre réponse, je vous prie d'agréer, Monsieur, l'expression de mes sentiments distingués.
→ Dans l'attente de votre réponse, je vous prie d'agréer, Monsieur, l'expression de mes sentiments distingués.

Ayant vérifié votre facture, nous avons remarqué l'absence d'un article.
→ Après vérification, nous avons remarqué l'absence d'un article sur votre facture.

Ayant patienté très longtemps, il a fini par obtenir une réponse.
→ À force de patience, il a fini par obtenir une réponse.

On peut remplacer la forme composée du participe, qui est lourde, par une forme simple, plus élégante.

Ayant abouti aux mêmes résultats, les experts tirent des conclusions différentes.
→ Parvenus aux mêmes résultats, les experts tirent des conclusions différentes.

Le participe est remplacé par un autre participe de même sens employé sans auxiliaire.

On peut substituer au participe un nom qui rendra le même sens.

Ayant assisté à l'accident, le garagiste s'est présenté spontanément.
→ Témoin de l'accident, le garagiste s'est présenté spontanément.

M'étant présenté au concours en 2017, je peux transmettre mon expérience.
→ Candidat au concours en 2017, je peux transmettre mon expérience.

Réduire le nombre de conjonctions

Les conjonctions de subordination et surtout les locutions conjonctives qui sont formées de plusieurs mots *(parce que, pourvu que, sous prétexte que, depuis le temps que...)* contribuent à alourdir un propos, surtout si leur emploi est répété.
On peut limiter cet inconvénient par divers procédés.

- Il faut se souvenir que toutes les conjonctions de subordination peuvent être réduites à **que** lorsqu'elles sont répétées dans une proposition coordonnée.
  Nous vous appelons parce que nous avons admiré votre spectacle et [parce] que nous aimerions vous rencontrer.

- On peut pratiquer l'ellipse de **que** et du verbe **être** après *une fois que* et *aussitôt que*.
  Une fois que vous serez arrivé sur le boulevard, vous devrez tourner à droite. → Une fois arrivé sur le boulevard, vous devrez tourner à droite.
  Aussitôt qu'il est servi, il regrette d'avoir choisi le menu.
  → Aussitôt servi, il regrette d'avoir choisi le menu.

- On peut remplacer les propositions conjonctives par un groupe nominal ou par un infinitif.
  Bien qu'il soit arrivé en retard, il n'a pas raté la séance.
  → Malgré son retard, il n'a pas raté la séance.
  Les voisins prétendent qu'ils ne font pas de bruit.
  → Les voisins prétendent ne pas faire de bruit.

- On peut aussi jouer sur les signes de ponctuation.
  - Les deux points peuvent remplacer *parce que* ou *puisque*.
    Il ne peut pas avoir participé à la manifestation : il était à l'étranger ce jour-là.
  - Le point-virgule peut remplacer une conjonction

d'opposition dans un parallélisme.

« Le rôle des parents est d'éduquer ; celui des enseignants est d'instruire », disait-on. (point-virgule = tandis que)

Choisir de préférence le verbe simple

Remplacer un groupe verbal par un seul verbe représente une économie de mots, réduisant par exemple le nombre des déterminants et des prépositions.

À la place du groupe *verbe + complément*, un seul verbe peut suffire, s'il existe :

– avoir une préférence pour → préférer
– dire des mensonges → mentir
– faire des compliments → complimenter
– donner un conseil → conseiller
– mettre à l'abri → abriter
– perdre courage → se décourager
– perdre patience → s'impatienter
– enlever le noyau → dénoyauter
– effacer avec une gomme → gommer

Au fil des semaines, la rumeur a pris de plus en plus d'ampleur.
→ Au fil des semaines, la rumeur s'est amplifiée.

À la place du groupe *verbe d'état (être, rendre, devenir...) + attribut*, un seul verbe peut suffire, s'il existe :

– être favorable à → approuver
– être à la recherche de → rechercher
– rendre plus clair → éclaircir
– rendre plus doux → adoucir
– devenir grand → grandir
– devenir beau → embellir

Les nombreux échanges à tous les niveaux ont rendu les relations franco-allemandes plus étroites, plus solides.
→ [...] ont renforcé les relations franco-allemandes.

14 Transformer une proposition subordonnée complétive en groupe nominal

- **On craint** *que le chômage ne reparte à la hausse.*
- **On craint** *une nouvelle hausse du chômage.*

↳ *Ces deux phrases ont le même sens, mais elles expriment le complément du verbe de façon différente.*
La transformation d'une proposition subordonnée complétive en groupe nominal donne de l'élégance à la phrase. Elle permet d'éviter l'emploi de **que**, *déjà très utilisé dans la langue française.*

Quelques exemples de transformations

Les voyageurs attendent depuis une demi-heure que le train parte.
→ Les voyageurs attendent depuis une demi-heure **le départ du train**.

On a depuis longtemps établi que le tabac est nocif.
→ On a depuis longtemps établi **la nocivité du tabac**.

Nous prouverons que cette affaire est extrêmement grave.
→ Nous prouverons **l'extrême gravité de cette affaire**.

Vos enfants ont besoin que vous les approuviez.
→ Vos enfants ont besoin **de votre approbation**.

Le contrôleur s'est aperçu trop tard qu'il s'était trompé.
→ Le contrôleur s'est aperçu trop tard **de son erreur**.

Le professeur constate que la candidate ne répond rien et il déplore qu'elle ne connaisse rien au sujet.
→ Le professeur constate **le silence de la candidate** et il déplore **son ignorance du sujet**.

Comment s'opère la transformation ?

La proposition subordonnée complétive est remplacée par un groupe nominal, complément du verbe principal.

La transformation se fait :

- soit à partir d'un verbe ;

Les voyageurs attendent depuis une demi-heure que le train **parte**.
→ Les voyageurs attendent depuis une demi-heure **le départ** du train.

- soit à partir d'un adjectif.

On a depuis longtemps établi que le tabac est **nocif**.
→ On a depuis longtemps établi **la nocivité** du tabac.

Nous prouverons que cette affaire est extrêmement **grave**.
→ Nous prouverons **l'extrême gravité** de cette affaire.

Le verbe ou l'adjectif ont le plus souvent pour équivalent un nom dérivé (de la même famille).

Vos enfants ont besoin que vous les **approuviez**.
→ Vos enfants ont besoin de **votre approbation**.

Dans certains cas, il faut faire preuve d'un peu d'astuce, car le verbe (ou la locution verbale) n'a pas pour équivalent un nom dérivé.

Le contrôleur s'est aperçu trop tard qu'il s'était trompé.
→ Le contrôleur s'est aperçu trop tard **de son erreur**.

Le professeur constate que la candidate ne répond rien et il déplore qu'elle ne connaisse rien au sujet.
→ Le professeur constate **le silence** de la candidate et il déplore **son ignorance** du sujet.

Les précautions à prendre

Il faut veiller à la construction (directe ou indirecte) du verbe introduisant le groupe nominal :

- la construction peut être directe, sans préposition ;

Il a refusé que je l'aide. → Il a refusé mon aide.

- la construction peut être indirecte, avec une préposition.

Il se réjouit que je l'aide.
→ Il se réjouit de mon aide.

Il faut veiller au choix du nom dérivé. En effet, un même mot peut produire plusieurs noms dérivés de sens et d'emplois différents.

On prévoit que les salaires vont être relevés bientôt.
→ On prévoit un prochain **relèvement** des salaires.

On prévoit que les compteurs d'eau vont être relevés bientôt.
→ On prévoit un prochain **relevé** des compteurs d'eau.

15 Transformer une proposition subordonnée circonstancielle en groupe nominal

● *Quand vous reviendrez,* **vous serez déchargée d'une partie de votre travail** *parce que vous serez aidée par une collaboratrice.*

● *À votre retour, vous serez déchargée d'une partie de votre travail grâce à l'aide d'une collaboratrice.*

↳ *Ces deux phrases ont le même sens mais, dans la seconde, les propositions subordonnées sont remplacées par des groupes nominaux.*

↳ *La proposition subordonnée circonstancielle et le groupe nominal circonstanciel jouent le même rôle dans la phrase. Pour varier l'expression, on peut remplacer l'une par l'autre.*

Quelques exemples de transformations

Pour exprimer **le temps**.

Quand ils sont arrivés, les portes se sont brusquement fermées.
→ **À leur arrivée**, les portes se sont brusquement fermées.

Dès que le communiqué a été publié, les médias l'ont diffusé.
→ **Dès sa publication**, les médias ont diffusé le communiqué.

Pendant que nous étions en Corse, nous avons bien profité de la mer.
→ **Pendant notre séjour en Corse**, nous avons bien profité de la mer.

Avant que la séance soit terminée, le spectateur émotif aura utilisé tous ses mouchoirs.
→ **Avant la fin de la séance**, le spectateur émotif aura utilisé tous ses mouchoirs.

Après qu'il eut un peu hésité, le témoin finit par répondre.
→ **Après une brève hésitation**, le témoin finit par répondre.

Pour exprimer **la cause**.

Le ski hors-piste a été interdit parce qu'on craint les avalanches.
→ Le ski hors-piste a été interdit **par crainte des avalanches**.

Comme nous n'avions pas d'autres précisions, nous avons retourné la lettre à l'expéditeur.
→ **En l'absence d'autres précisions**, nous avons retourné la lettre à l'expéditeur.

Le feu a été éteint parce que les pompiers sont intervenus rapidement.
→ Le feu a été éteint **grâce à l'intervention rapide des pompiers**.

Parce qu'il manquait d'entraînement, le marathonien s'est arrêté après six kilomètres de course.
→ **Faute d'entraînement**, le marathonien s'est arrêté après six kilomètres de course.

Pour exprimer **la condition**.

Si j'avais été à la place du juge, j'aurais été très troublé.
→ **À la place du juge**, j'aurais été très troublé.

Si vous aviez pris le TGV, vous seriez arrivés à l'heure pour notre mariage.
→ **Avec le TGV**, vous seriez arrivés à l'heure pour notre mariage.

Désormais, la carte ne sera plus valable si elle ne comporte pas la photo de l'assuré.
→ Désormais, la carte ne sera plus valable **sans la photo de l'assuré**.

Pour exprimer **l'opposition**.

Bien qu'il ait été fatigué, il a fait l'effort de venir.
→ **Malgré sa fatigue**, il a fait l'effort de venir.

Bien que de nombreux pays s'efforcent de maintenir la paix dans la région, la situation reste tendue.

→ **Malgré les efforts de nombreux pays pour maintenir la paix dans la région**, la situation reste tendue.

Bien que l'équipe ait été battue, elle pourra tout de même jouer la partie suivante.
→ **Malgré sa défaite**, l'équipe pourra tout de même jouer la partie suivante.

Même si la situation paraît calme, elle peut à tout moment se dégrader.
→ **En dépit d'un calme apparent**, la situation peut à tout moment se dégrader.

Bien qu'il paraisse marcher lourdement et lentement, l'ours est un chasseur rapide.
→ **Malgré une démarche apparemment lourde et lente**, l'ours est un chasseur rapide.

Comment s'opère la transformation ?

La conjonction de subordination est remplacée par une préposition ou locution conjonctive.

jusqu'à ce que → jusqu'à

parce que → à cause de

bien que → malgré

au cas où → en cas de

Le verbe est remplacé par un nom qui est souvent un nom dérivé (de la même famille), mais pas toujours.

Le ski hors-piste a été interdit parce qu'on **craint** les avalanches.
→ Le ski hors-piste a été interdit **par crainte** des avalanches. (nom dérivé)

Bien que l'équipe **ait été battue**, elle pourra tout de même jouer la partie suivante.
→ Malgré **sa défaite**, l'équipe pourra tout de même jouer la partie suivante. (le nom n'est pas un dérivé)

Le sujet de la subordonnée devient un complément du nom ou un déterminant possessif.

Bien que **de nombreux pays** s'efforcent de maintenir

la paix dans la région, la situation reste tendue.
→ Malgré **les efforts de nombreux pays** pour maintenir la paix dans la région, la situation reste tendue.
(de nombreux pays est complément du nom efforts.)

Quand **ils** sont arrivés, les portes se sont brusquement fermées.
→ À **leur** arrivée, les portes se sont brusquement fermées.
(leur est déterminant possessif)

- L'adverbe devient un adjectif.

Le feu a été éteint parce que les pompiers sont intervenus **rapidement**.
→ Le feu a été éteint grâce à l'intervention **rapide** des pompiers.

- Parfois, la préposition (ou la locution prépositive) prend en charge le sens du verbe.

Parce qu'il manquait d'entraînement, le marathonien s'est arrêté après six kilomètres de course.
→ **Faute d'**entraînement, le marathonien s'est arrêté après six kilomètres de course.

- On peut parfois faire l'ellipse totale du verbe.

Si j'avais été à la place du juge, j'aurais été très troublé.
→ **À la place** du juge, j'aurais été très troublé.

Les précautions à prendre

- La subordonnée que l'on souhaite transformer en groupe nominal ne doit pas contenir de trop nombreuses informations. En effet, un groupe nominal ne peut rendre un contenu long et dense, à moins de multiplier les prépositions qui obscurciraient le sens.

Bien que nos services vous aient accordé un délai d'une semaine, vous devez néanmoins remplir le formulaire.
Cette proposition subordonnée ne gagnerait rien à être remplacée par :
En dépit de l'accord par nos services d'un délai d'une semaine...

 Il faut qu'il existe un groupe nominal équivalant à la subordonnée.

Si vous prenez le TGV, vous arriverez plus vite.
→ **Avec le TGV**, vous arriverez plus vite.
Mais dans la phrase : Si vous prenez **tous** le TGV, vous arriverez ensemble, *tous* ne sera pas rendu par le groupe nominal. Il faudra employer le gérondif.
→ **En prenant tous le TGV**, vous arriverez ensemble.

Les avantages de la transformation

La transformation d'une proposition subordonnée circonstancielle en groupe nominal permet :

- d'éviter l'accumulation des conjonctions de subordination qui alourdiraient la phrase ;
- de limiter le risque dans le choix du mode verbal après les conjonctions (indicatif ? subjonctif ? conditionnel ?) ;
- d'obtenir des formulations concises, notamment grâce au jeu des ellipses ;
- de préciser le sens, au cas où la conjonction de subordination serait ambiguë.

Quand il a absorbé des produits stupéfiants, l'automobiliste n'est plus maître de ses réflexes.
→ **Sous l'effet de** produits stupéfiants, l'automobiliste n'est plus maître de ses réflexes. (La transformation fait apparaître plus nettement la relation de cause.)

Comme la nuit tombait, les joueurs ont interrompu la partie.
→ **À cause de** la nuit, les joueurs ont interrompu la partie (La transformation fait apparaître la relation de cause.)
→ **À la tombée de** la nuit, les joueurs ont interrompu la partie.
(La transformation fait apparaître l'expression du temps.)

16 Utiliser l'infinitif pour une expression plus concise

- **Même s'il n'est pas gravement blessé, le skieur préfère qu'un guide l'accompagne pour qu'il fasse avec lui le trajet du retour jusqu'à la station.**
- ***Sans être*** **gravement blessé, le skieur préfère** ***être accompagné*** **d'un guide pour** ***rejoindre*** **la station.**

↳ *Les deux phrases ont le même sens, mais dans la seconde, l'emploi de l'infinitif permet une expression plus concise.*

Utiliser l'infinitif pour alléger la proposition subordonnée circonstancielle

On a intérêt à employer l'infinitif si l'on veut soulager la phrase d'une locution conjonctive souvent lourde. Mais la transformation infinitive n'est possible que si le sujet de la proposition subordonnée est le même que celui de la proposition principale.

Les élèves mineurs peuvent s'inscrire **à condition qu'ils présentent** une autorisation écrite de leurs parents.
→ Les élèves mineurs peuvent s'inscrire **à condition de présenter** une autorisation écrite de leurs parents.

L'étudiante est folle de joie **parce qu'elle a obtenu** le prix de trompette.
→ L'étudiante est folle de joie **d'avoir obtenu** le prix de trompette.

Bien qu'il n'ait jamais remporté d'étapes, le coureur réalise un parcours exceptionnel.
→ **Sans avoir jamais remporté** d'étapes, le coureur réalise un parcours exceptionnel.

Les candidats attendent longtemps **avant qu'ils soient interrogés.**
→ Les candidats attendent longtemps **avant d'être interrogés.**

L'automobiliste doit payer une amende **parce qu'il téléphone** au volant.
→ L'automobiliste doit payer une amende **pour avoir téléphoné** au volant.

À noter

L'**infinitif passé** est obligatoire après la préposition **pour** exprimant la **cause.**
L'automobiliste doit payer une amende pour **avoir téléphoné** au volant.

Utiliser l'infinitif dans une proposition subordonnée complétive objet pour éviter la conjonction *que*

- L'utilisation de l'infinitif entraîne des transformations plus ou moins délicates selon que le verbe de la subordonnée a le même sujet que celui de la principale ou selon qu'il a un sujet différent.

- Quand le sujet de la proposition principale est le même que celui de la proposition subordonnée, la transformation est facile.

Les joueurs étaient certains **qu'ils remporteraient** le tournoi cette année.
→ Les joueurs étaient certains **de remporter** le tournoi cette année.

Le suspect nie **qu'il se trouvait** ce jour-là sur le port.
→ Le suspect nie **s'être trouvé** ce jour-là sur le port.
(infinitif passé)

Le président a promis **qu'il recevrait** les délégués dans la semaine.
→ Le président a promis **de recevoir** les délégués dans la semaine.

Le nageur prétend **qu'il peut atteindre** l'île en vingt minutes.
→ Le nageur prétend **(pouvoir) atteindre** l'île en vingt minutes.

Quand le sujet de la proposition principale et celui de la proposition subordonnée sont différents, la transformation est plus délicate. Il faut recourir à des moyens détournés.

- On peut employer **de + l'infinitif** après les verbes **demander, conseiller, persuader, empêcher...**

Les bandes rugueuses empêchent **que les automobilistes roulent** trop vite.
→ Les bandes rugueuses empêchent **les automobilistes de rouler** trop vite.

Demande au serveur **qu'il nous apporte** une carafe d'eau.
→ Demande au serveur **de nous apporter** une carafe d'eau.

- On peut employer l'**infinitif** à la **voix passive** à condition que le sujet du verbe de la proposition principale soit le même que le COD du verbe de la proposition subordonnée.

L'automobiliste prétend **que le cycliste l'a injurié**. (*l'automobiliste* est sujet de *prétendre* ; *l'*, mis pour *l'automobiliste*, est COD d'*injurier*)
→ L'automobiliste prétend **avoir été injurié par le cycliste**.

Les victimes de la tempête pensent **qu'on les indemnisera** dans le courant du mois. (*les victimes* est sujet de *penser* ; *les*, mis pour *les victimes*, est COD d'*indemniser*)
→ Les victimes de la tempête pensent **être indemnisées** dans le courant du mois.

- On peut employer l'**infinitif** avec un **complément d'objet second**.

Si vous signalez votre absence, cela évitera **que le facteur s'inquiète**.
→ Si vous signalez votre absence, cela évitera **au facteur de s'inquiéter**.

Votre participation permettra **que l'association connaisse** un plus grand rayonnement.
→ Votre participation permettra **à l'association de connaître** un plus grand rayonnement.

On peut employer **voir + l'infinitif** après les verbes **désirer, souhaiter, vouloir, espérer, refuser, accepter, attendre**.

Le patronat veut que des négociations s'ouvrent au plus tôt.
→ Le patronat veut **voir** des négociations **s'ouvrir** au plus tôt (ou **voir s'ouvrir** des négociations).

La prévention routière espère que le nombre d'accidents diminuera.
→ La prévention routière espère **voir diminuer** le nombre d'accidents (ou **voir** le nombre d'accidents **diminuer**.)

Utiliser l'infinitif pour alléger le groupe nominal

L'infinitif peut être utilisé à la place d'un nom pour apporter une rupture dans une suite de compléments « en chaîne ». Le nombre des prépositions se trouve réduit et la phrase gagne en clarté.

L'installation permettra **la réduction des émissions** de gaz à effet de serre.
→ L'installation permettra **de réduire les émissions** de gaz à effet de serre.

Le conseil municipal a proposé **l'augmentation du nombre** de commerces de proximité.
→ Le conseil municipal a proposé **d'augmenter le nombre** de commerces de proximité.

Le maître s'étonne de la rapidité **de l'adaptation des élèves** aux nouvelles méthodes.
→ Le maître s'étonne de la rapidité **des élèves à s'adapter** aux nouvelles méthodes.

L'hôtesse est chargée **de l'accueil des représentants** des délégations étrangères.
→ L'hôtesse est chargée **d'accueillir les représentants** des délégations étrangères.

17 Remplacer une proposition subordonnée relative par un adjectif ou un nom

Souvenez-vous de la merveilleuse actrice *qui joue* **dans ce film** *que Truffaut* **avait tourné l'année** *où il est* **mort, et** *qui avait été* **tellement admiré par tous ceux** *qui aiment* **les films policiers.**

Souvenez-vous de la merveilleuse actrice ***de ce film tourné par Truffaut l'année de sa mort, et tellement admiré par tous les amateurs de films policiers.***

↳ *Pour une phrase plus élégante, on peut remplacer les propositions relatives.*

Remplacer la proposition subordonnée relative par un adjectif

Remplacer une proposition subordonnée relative par un adjectif rend la phrase plus courte et moins lourde.

Les habitants sont confrontés à une situation que personne ne pouvait prévoir.
→ Les habitants sont confrontés à une situation **imprévisible**.

Le personnage rencontre alors des mésaventures qui prêtent à rire.
→ Le personnage rencontre alors des mésaventures **risibles**.

L'association recherche les jeunes diplômés qui manquent encore d'expérience et elle leur procure une formation.
→ L'association recherche les jeunes diplômés **encore inexpérimentés** et elle leur procure une formation.

Les mirabelles sont des fruits qui mûrissent tard en saison.
→ Les mirabelles sont des fruits **tardifs**.

Un élève qui a pu faire de tels progrès mérite d'être encouragé.
→ Un élève **capable de tels progrès** mérite d'être encouragé.

Dans le village, qui est éloigné d'une dizaine de kilomètres, on ne trouve plus ni boulangerie ni bureau de poste.
→ Dans le village, **distant d'une dizaine de kilomètres**, on ne trouve plus ni boulangerie ni bureau de poste.

Remplacer la proposition subordonnée relative et son antécédent par un nom

Remplacer une proposition subordonnée relative et son antécédent par un nom permet d'obtenir une formulation plus élégante et plus précise.

Le livreur a demandé son chemin à une personne qui passait.
→ Le livreur a demandé son chemin **à un passant**.

La personne qui est à la réception de l'hôtel s'est absentée.
→ **Le (ou la) réceptionniste** de l'hôtel s'est absenté(e).

Le ravitaillement en eau est un problème pour ceux qui vivent sur l'île.
→ Le ravitaillement en eau est un problème pour **les insulaires**.

Celui qui vous écrit n'a pas daté son courrier.
→ **Votre correspondant** n'a pas daté son courrier.

Il faut indiquer dans deux cases différentes le nom de celui qui envoie la lettre et le nom de celui à qui elle est adressée.
→ Il faut indiquer dans deux cases différentes le nom **de l'expéditeur** et le nom **du destinataire**.

Les conditions nécessaires

Remplacer la proposition subordonnée relative par un adjectif ou un nom requiert une bonne connaissance du vocabulaire. En effet, le mot de remplacement n'est pas toujours un dérivé des mots présents dans la relative.

Manger un délicieux gâteau est un plaisir **qui ne dure pas.**
→ Manger un délicieux gâteau est un plaisir **éphémère.**

Les fraises sont des fruits **qui mûrissent tôt en saison.**
→ Les fraises sont des fruits **précoces.**

La fuite d'eau provient de l'appartement **qui est juste à côté du nôtre.**
→ La fuite d'eau provient de l'appartement **mitoyen.**

Ce fut une journée **dont on se souviendra longtemps.**
→ Ce fut une journée **mémorable.**

L'avis s'adresse à tous ceux **qui payent des impôts.**
→ L'avis s'adresse à tous les **contribuables.**

La transformation de la proposition subordonnée relative n'est possible qu'à la condition qu'il existe un substitut de même sens.

Le personnage rencontre des mésaventures **qui prêtent à rire.**
→ Le personnage rencontre des mésaventures **risibles.**
Mais aucun adjectif ne pourrait remplacer exactement :
des mésaventures **qui prêtent à sourire**.

18 Varier les tournures de phrases

- **Un cerf a été accidenté. *On* l'a transporté à Fontainebleau. *On* l'a confié aux soins d'un vétérinaire. *On* est maintenant rassuré sur son état. *On* croit savoir que l'animal sera relâché dès demain dans la forêt.**
- **Un cerf a été accidenté. Il a été transporté à Fontainebleau et confié aux soins d'un vétérinaire. Son état est maintenant rassurant. L'animal sera relâché dès demain dans la forêt, à ce que l'on croit savoir.**

Quand certaines tournures apparaissent trop souvent, on a intérêt à les remplacer par d'autres pour donner de la variété à l'expression.

Remplacer *on*

Un emploi trop fréquent de **on** en début de phrase peut être évité.

- En employant la voix passive.
  Dans ce service, on trie les emballages et on les recycle.
  → Dans ce service, les emballages **sont triés et recyclés**.

- En employant un verbe pronominal de sens passif.
  On ne visite pas les musées nationaux le mardi.
  → Les musées nationaux **ne se visitent pas** le mardi.

À noter

Seuls les verbes transitifs directs qui ont pour COD un **nom non animé** peuvent être mis à la forme pronominale de sens passif : visiter (un musée), vendre (un objet), porter (un vêtement), conclure (une affaire), cuisiner, servir, manger (des aliments)...

En employant **se faire, se laisser, se voir** suivis de l'infinitif.

On respecte le jeune stagiaire.
→ Le jeune stagiaire **se fait respecter.**

On a refusé l'accès de la salle à mes collaborateurs.
→ Mes collaborateurs **se sont vu refuser** l'accès de la salle.

À noter

Aux temps composés, les participes passés **fait, laissé, vu** restent invariables.

Éviter de commencer toutes les phrases par *je* ou *nous*

On peut remplacer **je** (ou **nous**) en changeant le sujet de la phrase.

Je manque de temps pour vous répondre.
→ **Le temps** me manque pour vous répondre.

Nous avons compris d'après votre lettre
que vous ne souhaitiez pas participer à la rencontre.
→ **Votre lettre** nous a fait comprendre
que vous ne souhaitiez pas participer à la rencontre.

On peut remplacer **je** (ou **nous**), sujet d'un verbe passif, en mettant la phrase à la voix active.

Nous avons été alertés par les usagers.
→ Les usagers nous **ont alertés.**

On peut éviter **je crois, je pense**, et d'autres verbes de sentiment en ouvrant une proposition incise entre virgules.

Je suis sûre que vous continuerez à nous faire confiance.
→ Vous continuerez**, j'en suis sûre,** à nous faire confiance.

Faire alterner voix active, voix passive et voix pronominale

Pour éviter les répétitions, on peut employer alternativement la voix active et la voix passive.

Les pompiers arrivent sur les lieux à 10 h 30.
À partir de ce moment, tout s'accélère.
Les pompiers évacuent les blessés à 11 h 45.
→ Les pompiers arrivent sur les lieux à 10 h 30.
À partir de ce moment, tout s'accélère.
Les blessés sont évacués à 11 h 45.

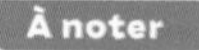

Seuls les verbes **transitifs directs** (qui se construisent avec un COD) peuvent être transformés à la voix passive.
Le président **ouvre la séance** (COD) à 20 h 30.
→ **La séance est ouverte** par le président à 20 h 30.
(voix passive)

- Les voix active, passive et pronominale peuvent être utilisées, au choix, avec les verbes qui expriment des états psychologiques : **amuser, émouvoir, étonner, fatiguer, indigner, intéresser, passionner, préoccuper, vexer...**
  L'actualité internationale **intéresse** les élèves de terminale.
  → Les élèves de terminale **sont intéressés** par l'actualité internationale.
  → Les élèves de terminale **s'intéressent** à l'actualité internationale.

Utiliser la phrase impersonnelle

- La tournure impersonnelle permet d'éviter l'infinitif en début de phrase.
  Reconnaître ses erreurs est difficile.
  → **Il est difficile** de reconnaître ses erreurs.
  Répondre par retour du courrier est recommandé.
  → **Il est recommandé** de répondre par retour du courrier.
- Elle permet d'éviter que le verbe ou l'adjectif attribut ne soit rejeté à la fin de la phrase.
  La liste des participants ainsi que les bulletins d'inscription manquent.

→ **Il manque** la liste des participants ainsi que les bulletins d'inscription.

Une solution pour régler l'incident à l'amiable existe sûrement.
→ **Il existe** sûrement une solution pour régler l'incident à l'amiable.

Que le dossier soit remis dans les délais et en mains propres au destinataire est indispensable.
→ **Il est indispensable** que le dossier soit remis dans les délais et en mains propres au destinataire.

Elle s'emploie :

- avec les verbes intransitifs : **arriver, convenir, exister, importer, manquer, paraître, rester, sembler, suffire, survenir, se passer, se produire, se trouver...**
- avec les adjectifs : **(il est) certain, difficile, important, impossible, indispensable, interdit, nécessaire, obligatoire, préférable, recommandé, urgent, utile, vrai...**

Employer alternativement les verbes qui vont par paire

Certains verbes, à la voix active, mettent en avant soit l'**agent** de l'action soit le **bénéficiaire** de l'action. Ils vont par paires :
– **donner / recevoir**
– **vendre / acheter**
– **prêter / emprunter**
– **effrayer / craindre**
– **posséder / appartenir**
– **rendre visite à / recevoir la visite de**
– **exercer** (une influence, une contrainte...) / **subir...**
Grâce à ces verbes, on peut varier l'expression en transformant la phrase sans que le sens soit modifié.

L'entreprise **donne** un cadeau à ses employés. /
Les employés **reçoivent** un cadeau de leur entreprise.

La publicité **exerce une influence** indiscutable sur le consommateur. / Le consommateur **subit l'influence** indiscutable de la publicité.

19 Apporter une explication

● **Les musées nationaux,** ***c'est-à-dire*** **ceux qui sont propriétés de l'État, ferment le mardi. Mais les musées de la Ville de Paris,** ***notamment*** **le Petit-Palais, ne ferment pas ce jour-là.** ***Autrement dit*****, vous trouverez toujours un musée ouvert, quel que soit le jour de la semaine.**

↳ **C'est-à-dire, notamment, autrement dit** *permettent d'apporter une explication.*

Des outils pour apporter une explication

- Dans le groupe nominal : **c'est-à-dire, soit, à savoir, notamment, par exemple...**

  Les ministères, **notamment** celui de l'Économie, seront sollicités.

- Entre deux phrases : **en effet, par exemple, ainsi, d'ailleurs, c'est-à-dire que, c'est ainsi que...**

  Il a fallu prendre des mesures pour assurer la sécurité du bâtiment. **Ainsi** tous les voyageurs ont dû quitter l'hôtel.

  L'épaisseur de la glace va diminuer, **c'est-à-dire que** le niveau des eaux va s'élever progressivement.

  En d'autres termes, autrement dit permettent d'expliquer en proposant une nouvelle formulation.

Ce qu'il faut savoir

- **C'est-à-dire, notamment, par exemple** ne sont pas synonymes. On ne les emploiera pas l'un pour l'autre. **C'est-à-dire** fournit une explication à ce qui précède. **Notamment** distingue un élément qui fait partie d'un ensemble.

Par exemple introduit une illustration donnée au moyen d'un exemple.

En effet, en apportant une explication, peut aussi exprimer la cause.

Nous comprenons mal vos reproches ; **en effet**, nos services ont toujours été assurés en temps voulu. (en effet = car)

D'ailleurs, en apportant une explication, confirme le propos principal.

Les lois anti-tabac doivent réduire au minimum la consommation ; **d'ailleurs** la vente de cigarettes a déjà chuté fortement.

20 Établir une progression

● **Restez avec nous pour la suite de notre programme.**
***Tout d'abord*, nous nous rendrons en Patagonie ;**
nous nous intéresserons *ensuite* au tri postal ;
***enfin* notre chef vous présentera ses meilleures recettes.**
↳ **Tout d'abord, ensuite, enfin** *permettent d'établir une progression.*

Des outils pour établir une progression

- Pour commencer : **d'abord, tout d'abord, premièrement, en premier lieu, avant tout...**

  En premier lieu, nous présenterons les problématiques de notre travail.

- Pour ajouter : **en outre, de plus, de même, également, ensuite, par ailleurs, de surcroît, puis, aussi, et même...**

  Puis nous exposerons les réponses déjà apportées à ces sujets délicats.

  Vous trouverez ci-joint notre facture de 500 euros. **Par ailleurs**, votre compte est débiteur de la somme de 100 euros.

- Pour terminer : **enfin, en dernier lieu, surtout, finalement, en définitive, en somme, pour toutes ces raisons, pour conclure...**

  Nous proposerons **enfin** quelques solutions originales pour résoudre, en partie, les difficultés.

- On emploie aussi les parallélismes : **non seulement... mais encore ; d'une part... d'autre part ; d'un côté... d'un autre côté.**

Ce qu'il faut savoir

Également, aussi (lorsqu'il exprime l'addition) ne s'emploient pas en début de phrase.

Il faudra **également** prévoir un repas froid.
Pensez **aussi** à réserver votre place pour le spectacle.

Aussi devient **non plus** dans une tournure négative.

Pensez **aussi** à réserver votre place pour le spectacle.

→ N'oubliez pas **non plus** de réserver votre place pour le spectacle.

Dans le parallélisme **non seulement... mais**, les deux éléments doivent précéder directement les termes qu'ils distinguent.

La réunion vous permettra **non seulement** de mieux connaître l'association, **mais** aussi de rencontrer des partenaires.

Et non pas : Non seulement la réunion vous permettra de mieux connaître l'association mais aussi de rencontrer des partenaires.

On ne doit pas employer **dernièrement** pour introduire un dernier argument. **Dernièrement** signifie *récemment, depuis peu de temps*.

21 Exprimer la cause

- **Les secours sont intervenus rapidement.**
L'incendie a pu être maîtrisé.
- **L'incendie a pu être maîtrisé** ***grâce à*** **l'intervention rapide des secours.**
- **L'incendie a pu être maîtrisé** ***parce que*** **les secours sont intervenus rapidement.**

↳ **Grâce à, parce que** *permettent d'exprimer la cause.*

Des outils pour exprimer la cause

- Dans le groupe nominal : **à cause de, du fait de, sous l'effet de, en raison de, à force de, faute de, grâce à, par suite de, suite à, étant donné, pour, vu...**

  En raison de difficultés économiques, nous sommes dans l'obligation de résilier notre contrat.

  Faute d'instructions précises, le stagiaire n'a pas pu exécuter sa tâche.

  L'employé a été décoré **pour** services rendus à la commune.

  Vu les circonstances, mieux vaut éviter de le déranger.

- Entre deux propositions : **car, en effet, c'est que...**

  Il est bon que les municipalités consacrent une grande part de leur budget aux équipements sportifs. **En effet**, le sport est reconnu comme facteur d'intégration sociale.

- Dans une proposition subordonnée : **parce que, étant donné que, puisque, sous prétexte que, comme, attendu que, vu que, du fait que, non que, ce n'est pas que...**

  Étant donné que l'on ne peut rien prévoir en ce domaine, mieux vaut se tenir prêt.

- Dans un groupe infinitif : **faute de, sous prétexte de + infinitif** et **pour + infinitif passé**

  Le conducteur est arrêté **pour avoir utilisé** son téléphone au volant.

Ce qu'il faut savoir

- **À cause de** exprime généralement une cause défavorable. **Grâce à** exprime toujours une cause considérée comme favorable.

  On a dû renoncer **à cause des** mauvaises conditions.

  Il a réussi **grâce à** sa persévérance.

- Après **faute de + infinitif**, on n'emploie jamais *ne... pas*, puisque *faute de* exprime déjà la négation.

  Je fais appel à vos services, **faute d'être** parvenu à un accord satisfaisant. (n'étant pas parvenu)

- **Car** n'est jamais placé en tête de phrase. Il est généralement précédé d'une virgule. Contrairement à *parce que*, il ne peut pas être précédé de *c'est*.

  Vous ne le trouverez pas dans son bureau, **car** il vient de changer de service.

- **Ce n'est pas que, non que**, qui expriment la cause rejetée, sont suivis du **subjonctif**.

  Ce n'est pas que je vous **aie** oublié, mais votre nom ne figure plus sur ma liste.

- **Puisque** exprime une cause évidente.

  Je le sais bien **puisque** vous venez de me le dire.

22 Exprimer la conséquence

- **La sécurité a été renforcée ;** ***par conséquent*****, tous les visiteurs devront passer par l'entrée principale.**
- **La sécurité a été renforcée** ***si bien que*** **tous les visiteurs devront passer par l'entrée principale.**

↳ **Par conséquent, si bien que** *permettent d'exprimer la conséquence.*

Des outils pour exprimer la conséquence

Dans le groupe nominal : **d'où, de là...**

Le journaliste a pu se rendre sur les lieux et interroger les témoins, **d'où** la précision de son reportage.

Entre deux phrases : **ainsi, donc, par conséquent, en conséquence, c'est pourquoi, de ce fait, dès lors, de là, de la sorte, aussi, par suite...**

Le contrôleur a été retardé dans les embouteillages. Il a **donc** manqué le train de 16 h 18.

Cette offre me paraît tout à fait insuffisante. **En conséquence**, je vous prie de reconsidérer votre position.

Dans une proposition subordonnée :

- **de sorte que, de façon que, si bien que...** + **indicatif**

La neige est tombée subitement ce matin, **de sorte que** personne n'**a pu** franchir le col.

- **au point que, tant que** + **verbe**, **tant de** + **nom**, **tel... que, si** + **adjectif** + **que, tellement** + **adjectif** + **que, tellement de** + **nom** + **que...** pour exprimer un degré d'intensité

Le facteur est **si serviable que** tout le monde le regrettera quand il partira.

- **assez de... pour que..., trop de... pour que... + subjonctif**

Je suis resté **trop** peu **de** temps dans le pays **pour que** la situation m'**apparaisse** clairement.

Dans un groupe infinitif : **assez de... pour, trop de... pour...**

Je suis resté **trop** peu **de** temps dans le pays **pour comprendre** clairement la situation.

Ce qu'il faut savoir

Donc s'emploie de préférence dans le cours de la phrase.

Aussi, lorsqu'il exprime la conséquence, s'emploie en tête de la proposition. On doit :

- inverser le pronom sujet ;

Les ressources s'épuisent ; **aussi** doit-**on** économiser l'énergie.

- ou répéter le sujet sous la forme d'un pronom personnel.

La situation devient critique ; **aussi** les autorités ont-**elles** décidé d'annuler la réunion.

Si... que, tant... que, tellement... que, tel... que sont suivis du **subjonctif** lorsque la proposition principale est négative ou interrogative.

Est-il déjà **si** tard **que** vous **soyez** obligés de partir ?

23 Exprimer le but

Tous les habitants devront être associés à l'événement. *Dans ce but*, **la rencontre sera retransmise sur des écrans géants.**

La rencontre sera retransmise sur des écrans géants *de façon que* **tous les habitants puissent être associés à l'événement.**

Dans ce but, de façon que *permettent d'exprimer le but.*

Des outils pour exprimer le but

- Dans le groupe nominal : **pour, en vue de, en faveur de…**
  Pour votre sécurité, n'ouvrez pas cette porte.

- Entre deux phrases : **dans ce but, à cette fin, à cet effet…**
  Vous souhaitez renouveler votre abonnement ;
  à cet effet, nous vous adressons l'imprimé ci-joint.

- Dans une proposition subordonnée : **pour que, afin que, dans le but que, de (telle) sorte que, de manière (à ce) que, de façon (à ce) que, de crainte que, de peur que… + subjonctif**
  Nous faisons de notre mieux **pour que** notre clientèle **soit** satisfaite.
  Relisez le contrat attentivement **de peur qu'**un oubli n'**ait** été commis.

- Dans un groupe infinitif : **pour, afin de, dans le but de, de manière à, de façon à, dans l'intention de…**
  Nous faisons de notre mieux **pour satisfaire** notre clientèle.
  Pressez les citrons **afin d'**en **extraire** le jus.

Infinitif ou subjonctif ?

- On utilise les locutions suivies du subjonctif si le sujet de la principale est différent de celui de la subordonnée.

Je viendrai te chercher afin que **tu** ne manques pas ton train.

- On utilise les locutions suivies de l'infinitif si le sujet de la principale est le même que celui de la subordonnée.

Prends un taxi afin de ne pas manquer ton train.

Ce qu'il faut savoir

La locution **de (telle) sorte que** exprime :

- le but si elle est suivie d'un verbe au **subjonctif** ;

Les caténaires ont été vérifiées, **de sorte que** les trains **puissent** circuler. (dans le but)

- la conséquence si elle est suivie d'un verbe à l'**indicatif**.

Les caténaires ont été vérifiées, **de sorte que** les trains **peuvent** circuler. (en conséquence, les trains circulent)

Après les verbes de mouvement **(aller, venir, partir...)**, le verbe à l'infinitif peut s'employer sans la préposition **pour**.

Je suis venu vous dire au revoir. (pour vous dire)

Ils sont partis le chercher. (pour le chercher)

Avec **de crainte que**, **de peur que**, le verbe s'accompagne de la particule **ne**, recommandée dans la langue soutenue.

Nous vous envoyons ce courriel **de peur (de crainte) que** notre lettre **n'**ait été perdue.

24 Exprimer la comparaison

- **L'entraîneur fait confiance à ses stagiaires ; il ferait *de même* avec des professionnels expérimentés.**
- **L'entraîneur fait confiance à ses stagiaires *comme s'*ils étaient des professionnels expérimentés.**
- **L'entraîneur fait confiance à ses stagiaires *autant qu'*à des professionnels expérimentés.**

→ **De même, comme si, autant que** *permettent d'exprimer la comparaison.*

Des outils pour exprimer la comparaison

Dans le groupe nominal :

- **comme, tel, pareil à, à la façon de, semblable à, par rapport à, en comparaison de...**

Le clown se mit à marcher de côté, **à la façon d'**un crabe.

- **plus de... que, moins de... que, autant de... que...** qui expriment un degré d'intensité ou une proportion

La classe compte cette année **autant de** filles **que** de garçons. (proportion)

Entre deux phrases ou deux propositions indépendantes :

- **de même, de la même manière, de la même façon...**

Pliez le bord de la boîte. **De la même manière**, rabattez les languettes de part et d'autre du couvercle.

- **plus... plus, moins... moins, autant... autant, plus... moins, moins... plus...** qui expriment un degré d'intensité ou une proportion

Plus le présentateur parlait, **moins** on comprenait où il voulait en venir. (degré d'intensité)

Dans une proposition subordonnée :

- **comme, comme si, ainsi que, tel que, de même que, de la même manière que...**

Exigeant **comme** vous l'êtes, vous ne vous contenterez pas de ce brouillon.

- **plus... que, moins... que, autant... que, aussi... que, d'autant plus... que, d'autant moins... que...** qui expriment un degré d'intensité ou une proportion

Le chef est **d'autant plus** contrarié **que** l'île flottante est depuis longtemps sa spécialité. (degré d'intensité)

Ce qu'il faut savoir

Comme peut être :

- une conjonction de comparaison ;

Je suis venue par le métro **comme** il me l'avait dit.

- une conjonction de temps ;

Je suis arrivée **comme** la station ouvrait.

- une conjonction de cause.

Comme il n'y avait personne, je suis repartie.

La locution **comme si** est toujours suivie d'un verbe à l'imparfait ou au plus-que-parfait de l'indicatif.
Elle apporte à la comparaison une nuance hypothétique (c'est une comparaison supposée).

Vous cuisinez **comme si** vous **aviez fait** cela toute votre vie.

Aussi... que s'emploie avec un adjectif, un participe ou un adverbe.

Il est **aussi** patient **que** moi. Il ne travaille plus **aussi** bien **qu'**avant.

Autant... que s'emploie avec un nom ou un verbe.

Vous trouverez **autant** de confort **que** dans un train.
J'aime **autant** sortir **que** (de) rester chez moi.

Tel que peut être :

- une conjonction de comparaison ;

Il est **tel que** je l'imaginais. (comme je l'imaginais)

- une conjonction de conséquence.

Le brouillard était **tel qu'**on ne voyait pas à cinq mètres.

25 Exprimer une condition

- *Si* la recherche dispose d'un budget plus important, elle progressera vite.
- La recherche progressera vite *à condition de* disposer d'un budget important.

↳ **Si, à condition de** *permettent d'exprimer la condition.*

Des outils pour exprimer une condition

Dans le groupe nominal : **à moins de, en cas de, sauf...**

En cas de danger, utilisez le signal d'alarme.

Sauf empêchement, la distribution sera assurée le lundi.

Entre deux phrases : **sinon, à défaut...**

Le journal doit être soutenu par les abonnés ; **sinon** il disparaîtra.

Dans la proposition subordonnée :

- **si, alors que, sauf si, même si... + indicatif**

Si ces conditions vous **agréent**, veuillez renvoyer les deux exemplaires signés de votre contrat.

- **au cas où, dans le cas où, quand, quand bien même... + conditionnel**

Dans le cas où votre paiement et notre lettre **se seraient croisés**, veuillez considérer celle-ci comme sans objet.

- **à condition que, pourvu que, pour peu que, si tant est que, en admettant que, en supposant que, à supposer que, à moins que... + subjonctif**

Notre site est accessible à tous les adhérents **à condition qu'**ils **connaissent** le mot de passe.

Dans un groupe infinitif : **à condition de, à moins de...**

À condition de connaître le mot de passe, tous les adhérents peuvent accéder au site.

Une association ne peut plus fonctionner **à moins de disposer** d'un budget important.

Ce qu'il faut savoir

Avec **à moins que**, le verbe s'accompagne de la particule **ne**, recommandée dans la langue soutenue. Ce **ne**, dit explétif, n'a pas de valeur négative.

Je prendrai un taxi, **à moins que** tu **ne** viennes me chercher.

Si (même si, si jamais, sauf si) est toujours suivi de l'**indicatif**. Mais on a le choix entre le présent, l'imparfait ou le plus-que-parfait selon que l'hypothèse est réalisable, que sa réalisation est peu probable, ou bien encore que l'hypothèse n'a pas été réalisée.

- On emploie **si** + **présent** quand l'hypothèse est réalisable.

Si notre équipe **gagne**, elle participera aux demi-finales.

- On emploie **si** + **imparfait** quand l'hypothèse est jugée peu probable.

Si notre équipe **gagnait**, elle participerait aux demi-finales.

- On emploie **si** + **plus-que-parfait** quand l'hypothèse n'a pas été réalisée.

Si notre équipe **avait gagné**, elle aurait participé aux demi-finales.

26 Établir une opposition

La compagnie propose des tarifs intéressants, *mais* les dates de départ sont imposées. *Cependant, malgré* ces contraintes, l'offre séduit de plus en plus *tandis que* les autres formules sont délaissées par la clientèle.

Mais, cependant, malgré, tandis que *servent à établir une opposition.*

Des outils pour établir une opposition

Dans le groupe nominal :

- opposition forte : **mais, excepté, mis à part, au contraire de, contrairement à, à l'inverse de...**

Les bibliothèques sont ouvertes tous les jours, **excepté** le lundi.

- opposition faible : **en dépit de, malgré...**

En dépit de nos recherches, il ne nous a pas été possible de retrouver l'article manquant.

Entre deux phrases :

- opposition forte : **mais, en revanche, au contraire, par contre, à l'inverse...**

Les nouvelles ampoules coûtent plus cher ; **en revanche**, elles consomment beaucoup moins d'énergie.

- opposition faible : **cependant, toutefois, néanmoins, or...**

Nous ne sommes pas en mesure de satisfaire votre demande. **Cependant** nous conservons vos coordonnées.

Dans une proposition subordonnée :

- opposition forte : **alors que, tandis que** + **indicatif** ; **sans que** + **subjonctif** ; **loin de, au lieu de, sans** + **infinitif**

Le camembert est produit en Normandie **tandis que** le maroilles **est** un fromage du Nord.

Les places peuvent être réservées **sans qu'**on **ait** à se présenter au guichet.

Loin de satisfaire tous les riverains, le projet d'aménagement de l'avenue est vivement critiqué.

- opposition faible : **bien que, quoique + subjonctif** ; **encore que + subjonctif** (généralement)

Bien qu'ils **aient** tous plus de soixante-dix ans, les retraités viennent de créer un club Internet.

Ce qu'il faut savoir

- **Alors que** et **tandis que** permettent d'établir une opposition ; mais ce sont également des conjonctions de temps.

  Le chameau a une bosse, **alors que (tandis que)** le dromadaire en a deux. (opposition)

  L'orage l'a surpris **alors qu'**il (**tandis qu'**il) installait son bivouac. (temps)

- **Or** introduit une contradiction dans un raisonnement. Il s'emploie toujours en tête de la proposition.

  Le suspect prétend ne rien connaître de l'affaire ; **or** des documents ont été trouvés chez lui.

- Après **quoique**, **bien que**, **encore que**, on peut parfois faire l'ellipse du verbe.

  L'élève parvient à suivre **quoique** [ce soit] avec difficulté.
  Bien qu'[étant] en grande difficulté, il a gardé confiance.

27 Admettre : exprimer une concession

● *Assurément* **l'entreprise était risquée, vous avez raison…**
Pourtant, **elle méritait d'être tentée.**

On exprime ici une concession, c'est-à-dire que l'on admet provisoirement un fait ou un jugement pour ensuite lui opposer un autre point de vue.

Des outils pour exprimer une concession

La concession est une forme de l'opposition ; elle utilise en partie les mêmes outils, mais ceux-ci servent à mettre en perspective les deux énoncés pour que l'un des deux apparaisse renforcé.

Dans le groupe nominal : **malgré, en dépit de…**
Malgré quelques difficultés, le projet a finalement abouti.

Entre deux phrases : **sans doute, certes, peut-être, bien sûr, assurément… mais (pourtant, néanmoins)…**
Le voyage était **sans doute** très bien préparé ;
mais des imprévus ont surgi néanmoins.
Certes, la démocratie est un régime impossible…
Pourtant il n'y en a pas de meilleur.

Dans la proposition subordonnée : **bien que, quoique, quel(le)(s) que, quelque… que + subjonctif**.
Quoique vous **pensiez** des conditions d'accueil, reconnaissez
que l'exposition mérite d'être vue.
Quels que soient les programmes mis en place,
des ajustements sont nécessaires.
Quelque invraisemblable **qu'il paraisse**,
le scénario est inspiré d'un fait réel.

On emploie aussi **avoir beau** + **infinitif**.

Les médiateurs **ont beau déployer** leurs efforts, la situation reste néanmoins tendue.

Ce qu'il faut savoir

Après **sans doute** et **peut-être**, placés en début de phrase, il est recommandé de pratiquer l'inversion du pronom sujet ou la reprise du sujet sous la forme du pronom.

Sans doute fallait-**il** interrompre le spectacle.
Peut-être les organisateurs devaient-**ils** faire une annonce. Mais personne n'a pris la décision.

Quelque + **adjectif** + **que** appartient à la langue soutenue. En emploi adverbial qualifiant un adjectif, il est invariable.

Quelque mignons **qu'**ils puissent être, les lionceaux restent des animaux sauvages.

Comment enrichir son vocabulaire et utiliser le mot juste

28 Les préfixes

● **Fait, re/fait, dé/fait, par/fait, contre/fait, satis/fait, for/fait, sur/fait…**

↳ *Tous les éléments qui s'ajoutent au mot* **fait** *sont des préfixes. Ils ont le pouvoir d'orienter le sens du mot dans des directions très différentes.*

Qu'est-ce qu'un préfixe ?

Les préfixes, comme les suffixes [▶ p. 109], sont des éléments de formation des mots qui s'ajoutent à un mot de base, appelé radical, pour former des mots dérivés.
Le préfixe est placé **avant** le radical. L'ajout d'un préfixe ne change pas la classe grammaticale du mot de base, mais il change sa signification.

dire → **re**dire ; connu → **in**connu ; ordinaire → **extra**ordinaire

Dans certains cas, le préfixe n'est plus identifiable en tant que tel :

- soit parce que le mot de base n'existe plus dans la langue ;

r/accourcir, **r**/apetisser, **r**/encontrer

- soit parce que le préfixe et le radical perdent leur sens particulier en formant un mot de sens nouveau.

regarder, répréhensible

Quelques préfixes usuels

Préfixe	Signification	Exemples
a-, an- (devant une voyelle)	négation (pas)	**a**normal, **a**politique, **a**typique
	privation (sans)	**a**pesanteur, **a**patride, **a**phone, **an**orexique

Préfixe	Signification	Exemples
co-, **con-**, **col-** (devant **l**) **com-** (devant **b**, **m**, **p**) **cor-** (devant **r**) *Remarque : dans les mots de formation récente, c'est la forme* **co-** *qui est utilisée, quelle que soit la lettre qui suit.* coauteur, colocataire, copilote, coreligionnaire	avec	**co**alition, **co**existence, **con**citoyen, **col**laborer, **col**latéral, **com**battre, **com**patriote, **com**merce, **com**mémoration, **cor**respondance, **cor**rélation
re-, **ré-**, **r-** (devant une voyelle ou **h**), **res-** (devant **s**) *Remarque : dans les mots de formation récente, le* **s** *n'est pas redoublé.* resaler, resalir, resituer	répétition	**re**lire, **re**prendre, **re**voir, **ré**élire, **res**servir
	retour à un état antérieur	**re**boucher, **re**lever, **re**venir, **re**partir, **re**fermer, **r**habiller
	changement de direction	**r**abattre, **re**courber, **r**enverser
	davantage	**re**chercher, **res**sentir
	complètement	**r**amasser, **ré**unir, **r**emplir, **re**couvrir
sy(n)-, **sym-** (devant **b**, **p**)	avec, ensemble	**sy**métrie, **syn**thèse, **sym**phonie, **sym**pathie

Quelques préfixes pour exprimer la situation dans l'espace

Préfixe	Signification	Exemples
a-, **ac-**, **ad-**, **af-**, **al-**, **am-**, **ap-**, **ar-**, **as-**, **at-**	en direction de	**a**baisser, **a**border, **a**mener, **ac**courir, **ad**venir, **af**fluer, **ap**porter, **ar**ranger, **as**siéger, **at**terrir

Préfixe	Signification	Exemples
en-, em- (devant **b, m, p**)	à l'intérieur de	**en**cadrer, **en**cercler, **en**terrer, **em**barquer, **em**murer, **em**prisonner
	loin de	s'**en**fuir, s'**en**voler, **em**mener, **em**porter
ex-	en dehors	**ex**patrier, **ex**porter, **ex**pulser
in-, il- (devant **l**), **il-** (devant **b, m, p**), **ir-** (devant **r**)	dans	**in**corporer, **in**jecter, **il**luminer, **im**biber, s'**im**miscer, **im**porter, **ir**ruption
par(a)-	à côté	**par**allèle, **par**enthèse, **para**médical
pro-	en avant, plus loin	**pro**grès, **pro**vidence, **pro**jeter, **pro**longer, **pro**pulser, **pro**créer, **pro**géniture
sou-, sub-	sous	**sou**mettre, **sou**coupe, **sou**lever, **sou**ligner, **sub**diviser, **sub**merger, **sub**conscient
trans- *Remarque : si le radical commence par un* s*, le* s *de* **trans-** *est maintenu.* transsexuel, transsibérien, transsaharien	par-delà	**trans**férer, **trans**porter
	marque le passage, le changement	**trans**formation, **trans**figurer
	au travers	**trans**percer, **trans**lucide

Quelques préfixes pour exprimer l'antériorité

Préfixe	Signification	Exemples
anté(r)- *Remarque : il prend la forme* **anti-** *dans* antichambre, antidater, anticiper.	avant, qui est devant	**antér**ieur, **anté**cédent, **anté**diluvien

Préfixe	Signification	Exemples
pré-	avant (dans le temps ou l'espace)	**pré**avis, **pré**céder, **pré**fixe, **pré**conçu, **pré**fabriqué, **pré**voir, **pré**dire, **pré**histoire, **pré**nom, **pré**médité, **pré**maturé, **pré**molaire, **pré**établi
pro-	qui vient avant	**pro**logue, **pro**phète, **pro**gramme, **pro**nostic

Quelques préfixes pour exprimer le sens contraire

Ces préfixes négatifs servent à former des antonymes (des mots de sens contraires).

Préfixe	Exemples
a-	normal/**a**normal
dé-, dés- (devant une voyelle)	conseiller/**dé**conseiller, contracté/**dé**contracté, accord/**dés**accord, obéissant/**dés**obéissant
dis- (exprime la privation)	continu/**dis**continu, semblable/**dis**semblable, symétrie/**dis**symétrie
in-, il-, im-, ir-	achevé/**in**achevé, habituel/**in**habituel, capable/**in**capable, logique/**il**logique, mobile/**im**mobile, patient/**im**patient, réel/**ir**réel
mal-	adroit/**mal**adroit, chance/**mal**chance, heureux/**mal**heureux
mé- (signifie « mal ») més- (devant une voyelle)	contentement/**mé**contentement, entente/**més**entente, se fier/se **mé**fier

On peut également former des mots de sens contraire à l'aide de préfixes qui sont eux-mêmes des antonymes.

Préfixe	Exemples
e-, ex- ≠ in-, im-	**ex**clure/**in**clure, **ex**porter/**im**porter, **ex**piration/**in**spiration, **ex**térieur/**in**térieur, **é**migré/**im**migré

Préfixe	Exemples
extra- ≠ **intra-** (ou **intro-**)	**extra**verti/**intro**verti, **extra**-utérin/**intra**-utérin, **extra**-muros/**intra**-muros
infra- ≠ **super-**	**infra**structure/**super**structure
mini- ≠ **maxi-**	**mini**mum/**maxi**mum, **mini**miser/**maxi**miser, **mini**maliste/**maxi**maliste
post- ≠ **anté-** (ou **anti-**)	**post**érieur/**anté**rieur, **post**poser/**anté**poser, **post**dater/**anti**dater
pré- ≠ **post-**	**pré**face/**post**face, **pré**position/**post**position, **pré**natal/**post**natal, **pré**romantique/**post**romantique
sur- ≠ **sous-** *Remarque : **sous-** est suivi d'un trait d'union.*	**sur**alimenté/**sous**-alimenté, **sur**effectif/**sous**-effectif, **sur**estimé/**sous**-estimé, **sur**équipé/**sous**-équipé

Quelques préfixes homonymes

Préfixe	Signification	Exemples
en-, **em-** (devant **b**, **m**, **p**)	à l'intérieur de	**en**cercler, **em**barquer, **em**murer, **em**prisonner
	la progression vers l'état exprimé par le radical	**em**bourgeoiser, **en**richir, **en**courager, **en**dormir
en-, **em-** (devant **b**, **m**, **p**)	loin de	s'**en**fuir, s'**en**voler, **em**mener, **em**porter
ex-	en dehors de, hors de	**ex**patrier, **ex**porter, **ex**pliquer, **ex**ploser
ex- *Remarque : dans ce sens, **ex-** est toujours suivi d'un trait d'union.*	antérieur, ancien	**ex**-femme, **ex**-ministre

Préfixe	Signification	Exemples
extra- *Remarque :* ***extra-*** *est parfois suivi d'un trait d'union quand il y a hiatus :* extra-humain.	en dehors de	**extra**ordinaire, **extra**terrestre, **extra**vagant
extra- *Remarque : dans ce sens,* ***extra-*** *peut être suivi ou non d'un trait d'union.*	le degré extrême, l'abréviation de extraordinairement	**extra**plat, **extra**lucide, **extra**-fin ou **extra**fin
in-, **il-** (devant **l**) **im-** (devant **b**, **m**, **p**) **ir-** (devant **r**)	préfixe négatif (= pas)	**in**visible, **il**légal, **im**buvable, **im**moral, **im**probable, **ir**rationnel
in-, **il-** (devant **l**) **im-** (devant **b**, **m**, **p**) **ir-** (devant **r**)	en, dans	**in**jecter, **il**luminer, **im**biber, s'**im**miscer, **im**porter, **ir**ruption
inter-	entre	**inter**ligne, **inter**médiaire, s'**inter**poser, **inter**peller, **inter**rompre, **inter**venir
	mise en relation entre plusieurs ensembles	**inter**national, **inter**ethnique, **inter**ministériel
	échange	**inter**actif, **inter**connexion, **inter**locuteur, **inter**changeable
int(ér)-	dans, au-dedans	**intér**ieur, **int**ime, **inter**ne, **inter**phone
par(a)-	à côté	**par**enthèse, **para**llèle, **para**doxe, **par**odie, **para**bole, **para**scolaire, **para**pharmacie
par(a)-	qui protège	**para**pluie, **para**sol, **para**chute, **para**vent

29 Les suffixes

Nation, nation/al, nation/al/ité, nation/al/isme, nation/al/iser, nation/al/is/ation...
Tous les éléments qui s'ajoutent au mot **nation** *sont des suffixes. Ils transforment ce nom en adjectif, en deux nouveaux noms, en verbe, en un nouveau nom à partir du verbe.*

Qu'est-ce qu'un suffixe ?

Les suffixes, comme les préfixes [▶ p. 103], sont des éléments de formation des mots qui s'ajoutent à un mot de base, appelé radical, pour former des mots dérivés.
Le suffixe est placé **après** le radical. L'ajout d'un suffixe permet de changer la classe grammaticale du mot de base.

Les suffixes permettent de former des **noms** :

- si on les ajoute au radical d'un verbe ;
espérer → l'espérance ; blesser → une bless**ure**
- si on les ajoute à un adjectif ;
sage → la sag**esse** ; modeste → la modest**ie**
- si on les ajoute à un autre nom.
une cerise → un ceris**ier** ; le boulanger → la boulang**erie**

Les suffixes permettent de former des **adjectifs** :

- si on les ajoute au radical d'un verbe ;
habiter → habit**able** ; exploser → explos**if**
- si on les ajoute à un nom ;
la planète → planét**aire** ; la méthode → méthod**ique**
- si on les ajoute à un autre adjectif.
distinct → distinct**if** ; rouge → roug**eâtre**

Les suffixes permettent de former des **verbes** :

- si on les ajoute à un adjectif : faible → faibl**ir**

- si on les ajoute à un nom ;

une vitre → vitr**ifier** ; une colonie → colon**iser**

- si on les ajoute à un autre verbe.

traîner → traîn**asser** ; sauter → saut**iller**

Le suffixe **-ment** permet de former des **adverbes** :

- si on l'ajoute à un adjectif ;

douce**ment** ; vrai**ment** ; lente**ment**

- si on l'ajoute à un nom : diable**ment**

Quelques suffixes usuels

Les suffixes péjoratifs

- Les suffixes péjoratifs ajoutent une valeur dépréciative aux mots :

– **-ard**, **-arde** : nullard, pleurard, richard, politicard, faiblarde ;
– **-âtre** : bellâtre, marâtre, blanchâtre ;
– **-aud**, **-aude** : lourdaud, courtaude ;
– **-asse** : paperasse, vinasse, fadasse ;
– **-iche**, **-ichon**, **-ichonne** : boniche, pâlichon, maigrichonne ;
– **-ailler** : discutailler, criailler ;
– **-asser** : rêvasser, traînasser.

À noter

- **Le suffixe -ard n'a pas toujours une valeur péjorative.**

Le suffixe **-ard** n'a plus de valeur péjorative marquée dans : bavard, motard, routard.

Il n'en a aucune dans : montagnard, campagnard, savoyard.

La syllabe **-ard** n'est pas un suffixe dans : hussard, retard, étendard, brancard, regard, foulard, hasard.

- **Il ne faut pas confondre les suffixes -âtre, -lâtre et -iatre.**

Il ne faut pas confondre **-âtre** avec **-lâtre** ; dans idolâtre, l'élément **-lâtre** signifie : culte, adoration.

Il ne faut pas confondre **-âtre** avec **-iatre** ; le suffixe **-iatre** utilisé pour les spécialités médicales s'écrit sans accent circonflexe : pédiatre, psychiatre, gériatre.

Les suffixes *-isme*, *-iste*

Les noms et les adjectifs formés avec ces suffixes sont très nombreux.

– Le suffixe **-iste** marque en général la profession ou l'activité.

un journaliste, un garagiste, un fleuriste, un pianiste, un humoriste

Il est souvent utilisé pour la dérivation de sigles.

un cégétiste, un vététiste

– Le suffixe **-isme** forme des noms qui signifient « le fait d'être » ce qu'exprime le radical.

civique → le civisme ; militant → le militantisme ; dynamique → le dynamisme ; héros → l'héroïsme

Ces deux suffixes sont souvent utilisés quand il s'agit de désigner une doctrine (**-isme**) ou le partisan d'une doctrine (**-iste**). Ils peuvent être ajoutés :

– à un nom propre ;

l'épicurisme ; le bouddhisme, un bouddhiste ; le marxisme-léninisme

– à un adjectif ;

le socialisme, un socialiste ; l'idéalisme, un idéaliste

– à un radical latin ;

l'optimisme, un optimiste ; le pessimisme, un pessimiste

– et même à des groupes de mots.

le je-m'en-foutisme, un jusqu'au-boutiste

Les mots en **-isme** et en **-iste** sont aujourd'hui très répandus. On doit surveiller l'emploi de certains d'entre eux et ne les utiliser que s'il s'agit précisément de désigner une attitude revendiquée ou un choix dont on est partisan.

À noter

1960, l'année du suffixe -isme

Cette année-là, le suffixe **-isme** supplante le suffixe *-ité* dans la création de mots du vocabulaire abstrait.

Voici quelques exemples de suffixes en **-isme**.

Mot	Définition	Erreur à éviter
l'**autoritarisme**	L'exercice d'une autorité excessive.	Ne pas employer ce mot comme synonyme d'*autorité*.
un **militariste**	Une personne qui revendique la prépondérance de l'armée dans un pays.	Ne pas employer ce mot comme synonyme de *militaire*.
un **séparatiste**	Une personne qui revendique l'autonomie par rapport à l'État.	
être **alarmiste**	Répandre intentionnellement des bruits alarmants.	
l'**arrivisme**	Le désir d'arriver, de réussir par n'importe quels moyens.	
le **féminisme**	L'attitude qui réclame pour les femmes un rôle et des droits plus importants dans la société.	Ne pas employer ce mot comme synonyme de *féminité*.
un **réformiste**	Un partisan d'une doctrine qui vise à améliorer la société capitaliste par des réformes.	Ne pas employer ce mot comme synonyme de *réformateur*.
l'**égalitarisme**	Le système visant à l'égalité absolue en matière politique et sociale.	Ne pas employer ce mot comme synonyme d'*égalité*.

Mot	Définition	Erreur à éviter
l'activisme	La doctrine qui préconise l'action violente en politique.	Ne pas employer ce mot comme synonyme d'*activité* ou d'*action volontaire*.
l'absentéisme	L'attitude qui se caractérise par des absences fréquentes sans justification.	Ne pas employer ce mot pour une *absence exceptionnelle ou provisoire*.

Les suffixes *-able*, *-ible*

- Les suffixes d'adjectifs, **-able** et **-ible**, signifient « qui peut être », « qui est capable d'être ».

abordable, buvable, immanquable, inusable, navigable, compréhensible, (in)corrigible, éligible, lisible, visible

- Les suffixes de noms, **-abilité** et **-ibilité**, indiquent aussi la possibilité, la capacité. Ils tendent aujourd'hui à se répandre.

la faisabilité, l'accessibilité, la crédibilité, la lisibilité, la maniabilité

- Les suffixes de verbes, **-abiliser** et **-ibiliser**, signifient « rendre possible, capable ».

culpabiliser, comptabiliser, imperméabiliser, responsabiliser, sensibiliser

Les suffixes qui expriment l'action et le résultat de l'action

- Il s'agit par exemple des suffixes :

– **-ement**, **-issement** ;

approvisionnement, groupement, agrandissement, élargissement, ralentissement

– **-age**, **-issage** ;

balayage, dressage, pilotage, pétrissage, remplissage

– **-tion**, **-ation**, **-ition** ;

attribution, inscription, constatation, création, acquisition

– **-sion** ;

compréhension, permission

– **-aison**, **-ison** ;

livraison, guérison

– **-ure**, **-ature**.

fermeture, filature

▬ Les suffixes **-age** et **-ement** sont parfois en concurrence dans les dérivés d'un même verbe. Ils expriment tous deux l'action ou son résultat. Mais le suffixe **-age** est le plus souvent employé pour des actions concrètes, le suffixe **-ement** dans un sens abstrait ou figuré.

raffinage (du pétrole, du sucre)

raffinement (une table décorée avec le plus grand raffinement)

Voici quelques exemples.

Verbe	Mots dérivés	Exemples
abattre	l'abattage	L'abattage systématique du troupeau.
	l'abattement	Être dans un état d'abattement profond.
arracher	l'arrachage	L'arrachage d'une dent, des pommes de terre.
	l'arrachement	Ressentir l'exil comme un arrachement.
emballer	l'emballage	Du papier d'emballage.
	l'emballement	Des emballements passionnels, irréfléchis.
régler	le réglage	Le réglage d'un mécanisme, d'une montre, d'un moteur.
	le règlement	Le règlement d'un conflit, d'une dette.

Les dérivés à ne pas confondre

Un même mot de base peut produire deux noms (ou deux adjectifs) dérivés. Ceux-ci ont un sens très différent selon le suffixe ajouté ou (plus rarement) supprimé. Par exemple :

- le radical latin **cre(d)** (croire) produit deux adjectifs dérivés de sens différent ;

crédule → Le naïf trop crédule se laisse facilement berner.
crédible → Une information peu crédible qui paraît inventée de toutes pièces.

- le verbe **secourir** produit deux noms d'emploi différent.

le secours → Appeler au secours, demander du secours.
le secourisme → Obtenir un brevet de secourisme.

Voici d'autres mots dérivés à ne pas confondre.

Mot de base	Mots dérivés	Exemples
accommoder	une accommodation	Passer de la lumière à l'ombre exige une rapide accommodation.
	un accommodement	Les deux partis ont trouvé un bon accommodement.
adhérer	l'adhérence (sens concret)	Ces pneus ont une bonne adhérence au sol.
	l'adhésion (sens figuré)	Donner son adhésion à un projet.
blanchir	le blanchissage (qui ravive le blanc)	Porter des draps au blanchissage.
	le blanchiment (qui rend intentionnellement blanc ce qui ne l'est pas)	Le blanchiment de l'argent de la drogue.
	le blanchissement (le fait de devenir blanc)	Le blanchissement des cheveux.

Mot de base	Mots dérivés	Exemples
brûler	une brûlure	Une brûlure de la peau.
	le brûlage	Le brûlage des terres, des herbes sèches.
cauchemar	cauchemardesque	Un spectacle cauchemardesque (digne d'un cauchemar).
	cauchemardeux	Un sommeil cauchemardeux (où l'on fait des cauchemars).
découper	le découpage	Un album de découpages pour les enfants, le découpage d'un film en plans et séquences.
	la découpure	Une découpure de journal, les découpures de la côte en bord de mer.
doubler	la doublure	Tourner une scène dangereuse sans doublure.
	le doublage	Un mauvais doublage de l'italien en français.
	le doublement	Le doublement de la somme au deuxième tirage.
estimer	l'estime	Une personne digne d'estime.
	l'estimation	Les premières estimations font état de treize blessés.
étaler	l'étalage	Un vol à l'étalage, faire étalage de ses connaissances.
	l'étalement (dans le temps)	L'étalement des vacances, des départs, des paiements.
fonder	les fondations	Les fondations en béton d'un immeuble.
	les fondements	Les fondements logiques d'un raisonnement, poser les fondements d'un nouvel État.

Mot de base	Mots dérivés	Exemples
gonfler	le gonflage	Le gonflage des pneus.
	le gonflement	Le gonflement des joues pour souffler.
gratter	le grattage	Un ticket avec deux chances au grattage.
	le grattement	Un grattement discret se fit entendre à la porte.
indemniser	l'indemnisation	On a décidé l'indemnisation des sinistrés.
	l'indemnité	Il a touché ses indemnités de licenciement.
isoler	l'isolation	Une bonne isolation thermique (contre le froid ou le chaud), phonique (contre le bruit).
	l'isolement	Il faut rencontrer des amis pour rompre son isolement.
mérite	méritant	Un élève méritant.
	méritoire	Un élève qui a fourni des efforts méritoires (ne s'emploie que pour un acte, un comportement).
passer	le passage	Le passage en sixième, le passage à l'acte.
	la passation	La passation d'un contrat, la passation de pouvoirs.
paver	le pavage	Entreprendre le pavage des trottoirs.
	le pavement	Découvrir un pavement de mosaïques romaines.

Mot de base	Mots dérivés	Exemples
prolonger	le prolongement	Dans l'espace : le prolongement de la ligne du TGV. Au sens figuré : les prolongements d'une affaire.
	la prolongation	Dans le temps : demander la prolongation d'un congé. Au pluriel : marquer un but pendant les prolongations.
racler	le raclage	Le raclage des peaux pour les nettoyer.
	le raclement	Un raclement de gorge.
reconduire	la reconduite	Pour une personne : la reconduite des clandestins à la frontière.
	la reconduction	La reconduction d'un bail (le renouvellement).
relever	un relevé	Le relevé des compteurs.
	un relèvement	Le relèvement des taux d'intérêt.
renoncer	le renoncement	Le moine vit dans le renoncement.
	la renonciation	La renonciation au trône d'Angleterre par Edouard VIII.
rétracter	la rétraction	La rétraction d'un muscle.
	la rétractation	La rétractation d'un témoin qui revient sur ses déclarations.
signaler	le signalement	Faire un signalement à l'inspection académique, diffuser le signalement d'un braqueur de banques.
	la signalisation	Les panneaux, les feux de signalisation.

Mot de base	Mots dérivés	Exemples
tenter	la tentation	Succomber à la tentation, la tentation du luxe.
	une tentative	Réussir après deux tentatives, une tentative d'effraction.
valide	la validité	Le billet a une durée de validité de trois mois.
	la validation	Il faut attendre la validation de l'élection.
varier	une variante	C'est le même texte, à quelques variantes près.
	la variation	Des variations de température, d'humeur.
	la variété	Une grande variété de sujets, cultiver plusieurs variétés de pommes.

30 Les principaux radicaux d'origine latine

- *Le vocabulaire français est constitué pour 80 % de mots ayant une origine latine. Bien sûr, on reconnaît difficilement dans les mots* **eau** *et* **évier** *le mot latin* ***aqua***... *Le temps et l'évolution phonétique l'ont sérieusement déformé. Cependant, ce radical est parfaitement repérable dans* **aqueux** *et* **aqueduc.**
- *Ces mots ont été forgés d'après le latin classique par les lettrés des* XIVe*,* XVe *et* XVIe *siècles.*

Les radicaux en *A*

alter(n), **altrui**, du latin *alter* (autre)

altération: le fait de rendre autre, le changement, la dégradation

altérité: le fait de se ressentir comme autre

altercation: dispute entre deux personnes

alternative: choix entre l'un et l'autre

alternance: succession de l'un et de l'autre

altruisme : disposition à se dévouer aux autres ; contraire : égoïsme

alter ego (expression latine) : un autre moi-même

À noter

Il ne faut pas confondre le radical **alter(n)** avec le radical **alt(i)** (haut). altitude, altimètre, altiport, altier (hautain)

ambul, du latin *ambulare* (marcher, se promener)

ambulant: qui marche, qui se déplace

ambulance: autrefois, hôpital mobile

dé**ambul**er: marcher, se promener sans but

fun**ambul**e : qui marche sur une corde
somn**ambul**e : qui marche pendant son sommeil
noct**ambul**e : qui se divertit la nuit
pré**ambul**e : qui vient devant ; d'où : texte précédant un discours ou un écrit

anim, du latin *anima* (souffle, vie, âme)
animer : douer de vie et de mouvement
in**anim**é : qui est sans mouvement ou sans vie
animal : être vivant doué de sensibilité et de mouvement
animisme : croyance qui consiste à attribuer une âme aux choses, à la nature
magn**anim**e : qui a l'âme grande ; d'où : généreux
pusill**anim**e : qui a l'âme toute petite ; d'où : craintif, lâche
un**anim**e : qui s'exprime d'une seule âme ; d'où : qui ont une seule et même opinion

Il existe d'autres radicaux importants en **a**.

alb, **aub** (blanc)
albâtre, albumine, albatros, albinos
album (autrefois, cahier de pages blanches)
aube, aubépine

aqu(a) (eau)
aqueux, aqueduc, aquatique, aquarelle, aquarium

aud(i) (entendre)
(in)audible, audience, auditeur, audition, auditoire et tous les mots composés de **audio**

Les radicaux en *B*

bell(ic), du latin *bellum* (guerre)
belliqueux : prompt à faire la guerre
belligérant : qui fait la guerre
belliciste : partisan de la guerre
re**belle** : qui recommence la guerre, qui se soulève

bén(é), du latin *bene* (bien)

bénir : prononcer des bonnes paroles ; d'où : protéger ou louer

bénin : à l'origine, bienveillant ; d'où : inoffensif

bénédiction : grâce, faveur

bénéfice : bienfait ; d'où : avantage, gain

bénévole : qui veut le bien, bienveillant ; d'où : désintéressé

benêt : simple d'esprit (considéré comme « béni de Dieu »)

À noter

- Le radical **bi, bin, bis** (deux fois) est utilisé comme préfixe.
bipède, **bi**lingue, **bi**cyclette, **bi**colore, **bi**hebdomadaire (qui paraît deux fois par semaine), **bi**mensuel (qui paraît deux fois par mois), **bi**ennale (manifestation qui a lieu tous les deux ans), **bis**cuit (à l'origine : pain cuit deux fois)
- Il ne faut pas confondre le radical **bi (bin, bis)** avec le radical d'origine grecque **bi(o)** (vie). biologie, amphibie

Les radicaux en *C*

capit, du latin *caput, capitis* (tête)

capital(e) : qui est le plus important ;
lettre capitale (majuscule) ; ville qui est une capitale

capitaine : qui vient en tête d'une compagnie,
d'un escadron

capiteux : qui monte à la tête comme un vin, un parfum

dé**capit**er : trancher la tête

cap (par le provençal) : promontoire

capitonner (par l'italien) : rembourrer (*capiton* signifie « grosse tête »)

On trouve aussi ce radical sous la forme **capitul** (tête de chapitre).

capituler : établir les articles d'un traité, de reddition

ré**capitul**er : revoir les articles d'un traité

carn, carni, du latin *caro, carnis* (chair, viande)

carnassier : qui se nourrit de chair crue

carnage : massacre de chairs vivantes
carné : composé de viandes
carnation : couleur de la peau, de la chair d'une personne
carnivore : qui se nourrit de chair
in**carn**é : qui prend chair ; qui représente sous une forme matérielle
désin**carn**é : sans réalité charnelle
carnaval (de l'italien *carne levare*) : supprimer la viande, puisque après le carnaval commence la période de jeûne du Carême

À noter

- Le radical **cide** (meurtre) est utilisé comme suffixe : herbicide, fongicide, insecticide, pesticide, homicide, génocide, infanticide, fratricide, parricide, régicide, suicide, trucider
- Il ne faut pas confondre le radical **cide** avec le radical **cid** de *cadere* (tomber, arriver) : accident, incident, coïncider, Occident

Il existe d'autres radicaux importants en **c**.

circon, **circ(ul)**, **circu** (autour de, cercle)
circonférence, circonscrire, circonspect, circonstance, circonvenir, circulaire, circulation, circuit

cré(d) (croire, avoir confiance)
créance, mécréant, crédible, crédule, crédit

cur (soin, souci)
cure, curatif, curiosité, manucure, pédicure, procuration

Les radicaux en *D* et *E*

doc(t), du latin *doctum* (instruire)
document : ce qui instruit ; **doc**umentaire, **doc**umentaliste
docte : savant
docteur : à l'origine, celui qui enseigne
doctrine : enseignement

dom, du latin *domus* (maison)
domestique : de la maison ; employé de maison
domicile : maison où l'on habite
domaine : maison du maître ; d'où : propriété
domotique : gestion automatisée d'une maison
major**dom**e : chef des domestiques ; maître d'hôtel

equ(i), du latin *aequus* (égal, uni)
équation : formule d'égalité
équateur : ligne imaginaire qui partage la Terre en deux parties égales
équilatéral : dont les côtés sont égaux
équilibre : égalité des poids sur une balance
équinoxe : période de l'année où la durée du jour et celle de la nuit sont égales
équitable : qui donne à tous une part égale
équivalent : de valeur égale
équivoque : à double sens
ad**équ**at : qui convient bien
ex aequo (expression latine) : à égalité

À noter

Il ne faut pas confondre le radical **equ(i)** avec le radical **équ** (cheval). équestre, équitation

Il existe un autre radical important en **e**.

ego (moi)
égoïsme, égocentrisme
alter ego (expression latine) : un autre moi-même

Les radicaux en *F*

fi(d), du latin *fides* (foi, confiance)
se **fi**er : accorder sa confiance
fiable : digne de confiance
fiancé(e) : engagé(e) par une promesse de mariage

se mé**fi**er : ne pas faire confiance
se dé**fi**er : avoir peu de confiance en quelqu'un ou quelque chose
(se) con**fi**er : s'en remettre, communiquer en toute confiance
fidèle : qui respecte la foi donnée
con**fid**ent : celui qui a la confiance de celui qui lui communique ses pensées
per**fid**e : qui trahit la confiance donnée

frac(t), frag, du latin *frangere* (casser, briser)
fracture : cassure d'un os ou de l'écorce terrestre
fraction : une partie d'une totalité (une fraction de seconde)
ef**fract**ion : bris de clôture
in**fract**ion : en rupture avec la loi
fragile : cassable
fragment : morceau d'une chose qui a été brisée
nau**frag**e : le fait de couler, pour un navire

fug, du latin *fugere* (fuir)
fugue : action de s'enfuir
fugitif : qui s'enfuit
fugace : qui fuit, qui ne dure pas
centri**fug**e : qui fuit le centre ; qui s'éloigne du centre
subter**fug**e : fuite par en dessous ; d'où : moyen détourné, ruse
trans**fug**e : qui s'échappe en passant de l'autre côté ; d'où : déserteur, dissident

fug (dans le sens de *faire fuir*)
fébri**fug**e, calori**fug**e, vermi**fug**e : qui repousse la fièvre, la chaleur, les vers
igni**fug**é : qui repousse le feu ; d'où : ininflammable

Les radicaux en *H* et *J*

hum, du latin *humus* (terre)
humus : la terre végétale, le terreau
in**hum**er : mettre en terre ; d'où : ensevelir

ex**hum**er : retirer de la terre

trans**hum**er : changer de terre, de pâturage, pour les troupeaux

humble, **hum**ilier, **hum**ilité (au sens figuré de bas, près de la terre)

À noter

Il ne faut pas confondre le radical **hum** avec le radical **hum** (humain). inhumain, surhumain

ject, du latin *jacere* (jeter)

in**ject**er : jeter à l'intérieur, introduire

dé**ject**ion : ce qui est rejeté à l'extérieur ; d'où : excréments

é**ject**er : rejeter en dehors

pro**ject**ile : objet lancé contre quelqu'un ou quelque chose

tra**ject**oire : ligne décrite par un projectile

pro**ject**ion : ce qui est lancé en avant

pro**ject**eur : appareil servant à projeter un faisceau lumineux ou des images

ab**ject** : jeté à bas ; d'où : digne de mépris

con**ject**ure : éléments jetés ensemble qui permettent de se faire une idée ; d'où : hypothèse

ob**ject**er : placer devant pour opposer

inter**ject**ion : mot projeté dans le discours ; d'où : exclamation

ad**ject**if : mot placé pour s'ajouter

Les radicaux en *L*

lég(is), du latin *lex*, *legis* (loi)

légal : conforme à la loi

légiférer : faire des lois

légitime : qui est fondé en droit

légiste : spécialiste des lois (médecin légiste : chargé légalement des expertises)

législateur, **légis**latif : qui fait les lois

privi**lèg**e : loi concernant un particulier ; d'où : avantage

léguer : céder par testament
al**lég**uer : invoquer [une loi] pour se justifier
dé**lég**uer : charger d'une fonction, d'un pouvoir
re**lég**uer : exiler, écarter [en vertu d'une loi]

loqu, locu, du latin *loqui* (parler)
loquace : qui parle volontiers
é**loqu**ent : qui parle bien
grandi**loqu**ent : qui parle en utilisant de grands mots
inter**loqu**é : interrompu ; d'où : décontenancé
col**loqu**e : parole échangée à plusieurs ; d'où : réunion, débat
soli**loqu**e : discours de celui qui se parle à lui-même
ventri**loqu**e : personne qui parle sans remuer les lèvres d'une voix venue du ventre
locuteur : celui qui parle
locution : groupe de mots
al**locu**tion : bref discours adressé à un public
inter**locu**teur : personne avec qui l'on parle
é**locu**tion : manière de prononcer oralement
circon**locu**tion : parole qui tourne autour du sujet

Il existe d'autres radicaux importants en l.

lab(or) (travail)
labeur, laborieux, laboratoire, collaborer, élaborer

lig (lier, unir)
ligament, ligature, ligoter, ligue, obliger, désobliger, religion

Les radicaux en *M*

man, mani, manu, du latin *manus* (main)
manette : levier que l'on manœuvre à la main
manœuvre (un) : travailleur manuel, ouvrier
manœuvre (une) : action faite [à la main]
manier : avoir en main
manutention : manipulation et déplacement de marchandises
manuel : qui se fait avec la main

manuel (un) : un ouvrage de format maniable
manufacture : autrefois, usine utilisant surtout le travail à la main
manuscrit : écrit à la main
manucure : personne chargée du soin des mains, des ongles

À noter

Il ne faut pas confondre le radical **man (mani, manu)** avec le radical grec **man(ia)** (folie). manie, pyromane, cleptomane

méd(i), du latin *medius* (au milieu)
médian : placé au milieu
médiateur : personne qui tient le milieu entre deux adversaires et les aide à trouver un accord
médium : qui prétend servir d'intermédiaire entre les vivants et les morts
médius : doigt du milieu de la main
Méditerranée : mer située au milieu des terres
médiéval : qui concerne le Moyen Âge (mot forgé au XIXe siècle)
inter**médi**aire : qui tient le milieu entre deux personnes ou deux groupes
inter**mèd**e : divertissement entre deux parties d'un spectacle
im**médi**at : qui se fait sans intermédiaire ; d'où : sans délai
(mass) **me**dia (par l'américain) : moyen de communication de masse

Il existe d'autres radicaux importants en **m**.

mag, maj, maxim (grand, plus grand, le plus grand)
magnat, magnifier, magnifique, magnitude, magnanime, magnum, majorer, majorité, majordome, majesté, majuscule, maximum, maxime (phrase, formule essentielle)

mir (regarder attentivement ou avec étonnement)
mirer, (le point de) mire, miroir, mirage, miracle, admirer, mirador (par l'espagnol *mirar* ; construction surélevée permettant de voir)

Les radicaux en *N* et *O*

nov, novo, du latin *novus* (nouveau)

novateur : qui apporte du nouveau

novice : débutant, qui est nouveau dans une discipline

noviciat : situation d'un nouveau membre d'une communauté religieuse avant les vœux définitifs

in**nov**er : faire des choses nouvelles

ré**nov**er : remettre à neuf

nova (de *stella nova*) : étoile nouvelle

novotique : techniques et phénomènes économiques liés à l'informatique

novocaïne : « nouveau » composé synthétique de cocaïne utilisé en médecine

ol(é), du latin *oleum* (huile)

olive, **ol**ivier : du latin *olea*, qui est à l'origine de *oleum*

oléagineux : plante qui fournit de l'huile (colza, arachide...)

pétr**ol**e : du latin *petra* (pierre) + *oleum* ; huile minérale

oléoduc : conduite de pétrole

lan**ol**ine : crème extraite du suint de la laine de mouton

lin**olé**um : revêtement imperméable à base d'huile de lin

À noter

Il ne faut pas confondre le radical **ol(é)** avec le radical grec **olig(o)** (petit nombre). oligoélément, oligarchie

Il existe d'autres radicaux importants en **n** et **o**.

nomin (nom)

nominal, nominatif, dénominatif, dénominateur

ignominie (perte de son nom ; d'où : déshonneur)

numér (nombre)

numéral, numéro, numéroter, numérique, énumérer, surnuméraire

 **ocul, ocl** (œil)
oculaire, oculiste, monocle, binocle

 **omni** (tout)
omnivore, omniscient, omnipotent, omniprésent, omnisports

 **op(er)** (travail, œuvre)
opus, opuscule, opéra
opérer, opérateur, opération, coopérer

Les radicaux en *P* et *R*

ped(i), du latin *pes, pedis* (pied)
- **péd**estre : qui se fait à pied
- **péd**aler : actionner avec les pieds
- **péd**oncule : petit pied ; d'où : queue d'une fleur, d'un fruit
- **pédi**cure : personne qui soigne les pieds
- **pédi**luve : petit bassin pour le lavage des pieds ou la désinfection
- bi**pèd**e, quadru**pèd**e : animal à deux, à quatre pieds
- palmi**pèd**e : oiseau dont les pieds sont palmés
- véloci**pèd**e : moyen de locomotion actionné par des pédales

À noter

Il ne faut pas confondre le radical **ped** avec le radical grec **ped(o)** (enfant). pédiatre, pédagogue, pédophile

rupt, du latin *rumpere* (rompre, briser)
rupture : le fait de rompre ou de se rompre
ab**rupt** : brisé net
é**rupt**ion : action de sortir brusquement en brisant
ir**rupt**ion : action d'entrer brusquement en brisant
inter**rupt**ion : le fait de rompre dans sa continuité
cor**rupt**ion : action de gâter ou de détruire ce qui était sain
ex ab**rupt**o (expression latine) : brusquement, sans préambule

Il existe d'autres radicaux importants en **p** et **r**.

pondér (poids)

pondéral, impondérable, pondéré, pondération, prépondérant

radi (rayon lumineux)

radiation, radial, radiant, radiateur, radieux, irradier
Dans le sens de radiation, le radical **radio** apparaît dans les mots :
radioactif, radiographie, radiologue, radioscopie
où il désigne les rayons X.
Dans le sens d'ondes (sonores), il apparaît dans :
radiodiffusion, radiophonique

retro : en arrière

rétrograder, rétroviseur, rétroactif, rétrospectif

À noter

Tous les mots composés du radical **retro** s'écrivent en un seul mot. Dans *rétrovirus*, **rétro** résulte de l'abréviation des mots américains *re(verse) tr(anscriptase) + o*.

Les radicaux en *S*

scri(pt), du latin *scriptum* de *scribere* (écrire)

scribe : dans l'Antiquité, personne qui écrivait les textes officiels
in**scri**re : écrire sur
pre**scri**re : écrire en tête ; d'où : recommander
pro**scri**re : afficher, écrire le nom d'un condamné ; d'où : bannir
sou**scri**re : écrire son nom sous ; d'où : accepter un projet
tran**scri**re : écrire dans une autre langue
circon**scri**re : tracer un cercle autour ; d'où : limiter
manu**scri**t : écrit à la main
de**script**ion : action de représenter
con**script**ion : le fait d'écrire sur une liste, d'enrôler
script (par l'anglais) : type d'écriture ou scénario de film

séqu, séc(u), du latin *sequi* (suivre)

séquence : suite ordonnée de mots, de phrases, ou de plans au cinéma

séquelles : suites d'une maladie

con**séqu**ence : effet, résultat qu'une action entraîne à sa suite

second : qui suit le premier, qui vient après

secte : groupe de personnes qui suivent la même doctrine

con**sécu**tif : qui résulte, qui se suit dans le temps

per**sécu**ter : poursuivre ; d'où : opprimer, traiter avec cruauté

À noter

Il ne faut pas confondre le radical **séqu, séc(u)** avec le radical **séqu, sec(t)** (couper) : disséquer, section.

spec(t), specul, du latin *spectare* (regarder, observer)

spectacle : tableau qui s'offre au regard

spectateur : celui qui regarde

spectre : apparition d'un mort

in**spect**er : examiner, surveiller

per**spect**ive : représentation des objets sur une surface plane en fonction de leur position par rapport à l'observateur

intro**spect**ion : regard vers l'intérieur ; d'où : observation de soi-même

rétro**spect**if : qui regarde en arrière, qui concerne le passé

pro**spect**if : qui regarde plus loin, qui concerne l'avenir

pro**spect**us : au XVIIIe siècle, brochure imprimée qui annonce le plan d'un ouvrage ; aujourd'hui, annonce publicitaire

a**spect** : qui se présente d'abord à la vue

su**spect** : qui est regardé de bas en haut ; d'où : qui est soupçonné

circon**spect** : qui regarde tout autour ; d'où : qui est prudent, réfléchi

spéculer : se livrer à des réflexions, des opérations financières

spéculaire : relatif au miroir

Il existe un autre radical important en **s**.

sati(s), **satur**, **sas** (assez)
satiété, insatiable, (in)satisfait, saturé, rassasié

Les radicaux en *T* et *V*

tempor, du latin *tempus*, *temporis* (temps)
temporaire : qui ne dure qu'un temps limité
temporel : qui est du domaine des choses et du temps qui passe (opposé à *spirituel* et à *éternel*) ;
qui situe dans le temps (opposé à spatial)
in**tempor**el : qui n'est pas soumis au temps
temporalité : qui concerne le temps dans sa durée
temporiser : retarder une action, gagner du temps
con**tempor**ain : qui est de la même époque ;
qui se produit en même temps que quelque chose d'autre ;
qui appartient au temps présent

vis(u), du latin *visus* (vue, aspect) ; de *videre* (voir)
visible : qui peut être vu
vision : action de voir ou chose vue
visage : aspect de la face
viser : regarder attentivement
visiter : aller voir souvent
visa : pièces écrites qui ont été vues, vérifiées
visuel : relatif à la vue
pré**vision** : vision à l'avance
impro**visé** : qui n'a pas été préparé
ré**vis**er : revenir voir, revoir
pro**vision** : à quoi l'on « pourvoit », à quoi l'on veille
pro**vis**eur : celui qui prévoit et qui pourvoit
pro**vis**oire : à quoi l'on « pourvoit » en attendant
télé**vision** : appareil de transmission d'images à distance
vis-à-**vis** : visage à visage ; d'où : face à face
super**vis**er (par l'anglais) : voir par-dessus
de **visu** (expression latine) : l'ayant vu, constaté

voc, **voq**, du latin *vocare* (appeler)

vocal : de la voix

vocable : appellation, mot

vocabulaire : ensemble des mots d'une langue

vocatif : dans une déclinaison, latine, allemande..., le cas utilisé pour s'adresser à quelqu'un

vocation : mouvement de celui qui se sent appelé à une mission

vociférer : faire porter sa voix ; d'où : parler en criant

a**voc**at : celui qui est appelé à l'aide, pour défendre en justice

é**voqu**er : appeler au dehors ; d'où : faire apparaître à l'esprit, au souvenir

in**voqu**er : appeler dedans ; d'où : faire appel, avoir recours à

con**voqu**er : appeler à se réunir

pro**voqu**er : appeler dehors ou devant pour défier

ré**voqu**er : rappeler ; d'où : destituer quelqu'un ou annuler

équi**voqu**e : qui dit deux choses ; d'où : à double sens

irré**voc**able : qu'on ne peut pas rappeler, sur quoi on ne peut pas revenir

vocalise : emprunté au radical *vocalis* (voyelle), dérivé de *vox*, *vocis* (voix)

Il existe d'autres radicaux importants en **v**.

vér(i) (vrai)

vérité, véracité, verdict, vérifier, véridique, véritable, s'avérer

vor (manger)

vorace, dévorer, carnivore, herbivore, insectivore, omnivore

Le radical **vor** est employé dans la formation de néologismes modernes au sens figuré : qui consomme excessivement.

énergivore, budgétivore

vulg (la foule, le commun des hommes)

vulgaire, vulgariser, vulgate, divulguer

31 Les principaux radicaux d'origine grecque

● *Des mots aussi modernes que* **biométrie** *ou* **homophobie** *sont antiques puisqu'ils sont composés de radicaux calqués sur des mots du grec ancien.*

● *Le français compte environ 10 000 mots empruntés au grec. Chaque époque a fabriqué les siens au gré des besoins:* **encyclopédique** *au* XVIIIe *siècle,* **cinématographe** *à la fin du* XIXe *siècle,* **génocide** *et* **trithérapie** *aux* XXe *et* XXIe *siècles.*

Les radicaux en *A*

agog, du grec *agôgê* (action de guider, conduire, diriger)
péd**agogi**e, péd**agogu**e : qui conduit, instruit l'enfant
dém**agogi**e, dém**agogu**e : qui exploite et flatte les sentiments du peuple pour le conduire où il veut
syn**agogu**e : littéralement, où l'on va ensemble ; lieu de culte israélite

alg(o), du grec *algos* (douleur)
an**alg**ésique (*an-* : préfixe privatif) : qui supprime la sensibilité à la douleur
ant**alg**ique : contre la douleur
névr**algi**e : douleur d'un nerf sensitif
nost**algi**e (du grec *nostos* : retour) : le regret du pays natal

anthrop(o), du grec *anthrôpos* (l'homme, l'être humain)
anthropocentrisme : théorie qui fait de l'homme le centre du monde
anthropologie : science qui étudie l'être humain en société
anthropomorphe : qui a la forme, l'apparence d'un être humain
anthropophage : qui mange la chair humaine

phil**anthrop**e : qui aime les êtres humains et leur vient en aide
mis**anthrop**e : qui hait le genre humain et le fuit

arch, du grec *arkhein* (commander)
mon**arch**ie : gouvernement d'un seul
an**arch**ie (*an-* : préfixe privatif) : absence de gouvernement
olig**arch**ie : gouvernement de quelques-uns, privilégiés
hiér**arch**ie : à l'origine, le gouvernement sacré des anges ; d'où : organisation du plus petit au plus grand

À noter

- Le radical **arch** exprime le plus haut degré.
On retrouve le radical **arch** dans les titres, religieux ou politiques, qui expriment le plus haut degré.
archange, patriarche, archevêque, archiduc…
Dans tous les mots cités, **arch** se prononce [aʀʃ], sauf dans *archange* [aʀk].
- Il ne faut pas le confondre avec le radical **arch** (ancien).
Ce radical **arch**, du grec *arkaios* (ancien), apparaît dans :
archéologie, archaïque, archives…

aut(o), du grec *autos* (soi-même)
autisme : repliement sur soi
autonomie : libre disposition de soi-même
autobiographie : récit de sa propre vie
autographe : qui est écrit par la personne elle-même
automate : qui se meut par soi-même
autodidacte : qui s'instruit par lui-même
automobile : qui est mu par sa propre énergie
autoportrait, **auto**défense, **auto**critique, **auto**détermination… (composés modernes)

À noter

Il ne faut pas confondre le radical **aut(o)** avec *auto*, forme abrégée d'auto(mobile), qui apparaît dans :
autobus, auto-école, auto-stop, autoroute, automitrailleuse…

Il existe d'autres radicaux importants en **a**.

aer(o) (air)
aérer, aérien, aéronautique, aéroport

amph(i) (deux, autour)
amphore, amphibie, amphithéâtre

andr(o) (humain masculin)
androïde, androgyne, polyandrie, scaphandre (littéralement : homme-barque)

ant(i) (exprime l'opposition)
antagoniste, antarctique, antibiotique, antidote, anticonformiste ;
anticlérical, antiesclavagiste, antisémite…
(mots dans lesquels le radical signifie *contre* ou *hostile à*)

Les radicaux en *B*

bi(o), du grec *bios* (vie) ; prend aussi la forme **bi** ou **be**
biographie : récit de la vie d'une personne
biologie : étude du vivant
biotope : milieu biologique déterminé
biométrie : qui traduit en données numériques les caractéristiques physiques
biodégradable : qui se dégrade sous l'effet d'organismes vivants
biodiversité, **bio**carburants… (composés modernes)
biopsie : prélèvement d'un fragment de tissu vivant
amphi**bie** : qui peut vivre dans deux éléments, la terre et l'eau par exemple
micro**be** : très petit être vivant

Il existe un autre radical important en **b**.

biblio (livre)
bibliothèque, bibliographie, bibliophile

Les radicaux en *C*

chron(o), du grec *khrônos* (le temps)

chronique (maladie) : qui se répète dans le temps

syn**chrone** : qui se produit dans le même temps

ana**chroni**sme : confusion entre ce qui appartient à une époque et ce qui appartient à une autre

chronologie : ordre de succession des événements dans le temps

chronomètre : instrument de mesure du temps

À noter

Chrono se prononce [kʀ].

crat, du grec *kratos* (puissance) ; *kratein* (gouverner)

aristo**crat**ie : gouvernement des « meilleurs »

démo**crat**ie : gouvernement du peuple

auto**crat**e : qui gouverne seul sans contrôle

théo**crat**ie : gouvernement exercé par les autorités religieuses

plouto**crat**ie : gouvernement exercé par les plus fortunés

bureau**crat**e, techno**crat**e, phallo**crat**e, mérito**crat**ie... (composés modernes)

Il existe d'autres radicaux importants en **c**.

call(i) (beau)

calligraphie, calligramme

céphal(o) (tête)

céphalée, céphalopode, bicéphale, encéphalogramme

chir(o) (main)

chirurgie

chiropracteur, chiromancie (lecture des lignes de la main) ; dans les deux mots, *chi* se prononce [ki]

cycl(o) (cercle)

cyclique, cyclone, hémicycle, bicyclette

Les radicaux en *D* et *E*

dém(o), du grec *démos* (peuple)
démagogue : qui conduit le peuple où il veut en flattant ses instincts
démocratie : gouvernement exercé par le peuple
démographie : étude statistique des populations humaines
épi**démi**e : maladie infectieuse qui frappe une population en même temps dans une même région
en**démi**que (maladie) : qui sévit en permanence dans une population

Il existe deux radicaux importants en **e**.

ethn(o) (peuple, race)
ethnie, ethnocentrisme, ethnologue, pluriethnique

eu (bien, agréablement)
euphonie, euphémisme, euphorie, euthanasie

Les radicaux en *G*

graph(o), du grec *graphein* (écrire)
graphologie : étude des écritures individuelles
graphisme : caractère particulier d'une écriture
auto**graph**e : écrit de la main même de la personne
ortho**graph**e : façon d'écrire correcte
photo**graph**ie : procédé qui « inscrit » une image par le moyen de la lumière

Il existe d'autres radicaux importants en **g**.

gastr(o), gaster (ventre)
gastrique, gastronome, gastroentérite, gastéropode, épigastre

géo, gée (Terre)
géographie, géologie, géométrie, hypogée, apogée (le point le plus éloigné de la Terre)

gramm (lettre, trait)
grammaire, anagramme, calligramme, idéogramme, pictogramme, télégramme

gyn(e) (femme) ; prend aussi la forme **gynéc(o)**
gynécée, androgyne, misogyne, gynécologue

Les radicaux en *H*

hémo, du grec *haima* (sang) ; prend aussi la forme **hémat(o)** et **ém**

hémorragie : fuite du sang hors d'un vaisseau sanguin

hémophile : qui souffre d'hémorragies prolongées par défaut de coagulation

hématome : accumulation de sang dans la peau ; un bleu

an**ém**ie : diminution du nombre de globules rouges

leuc**ém**ie : prolifération de leucocytes – globules blancs – dans le sang

glyc**ém**ie : présence de sucre dans le sang

septic**ém**ie : présence de microbes dans le sang

homo, du grec *homos* (semblable) ; prend aussi la forme **homéo** (sens contraire : **hétéro**)

homogène : dont les éléments constitutifs sont de même nature

homologue : équivalent

homosexuel : qui éprouve une attirance sexuelle pour les personnes de son sexe

homozygote : (jumeaux) provenant du même œuf

homonymes : mots de prononciation identique

homéopathie : traitement de la maladie par une maladie semblable

Il existe d'autres radicaux importants en **h**.

hémi (demi)
hémicycle, hémisphère, hémiplégie

hipp(o) (cheval)
hippisme, hippodrome, hippopotame, hippocampe, Philippe (qui aime les chevaux)

hydr(o) (eau)
hydraulique, (dés)hydraté, hydravion, hydrogène, hydrophile

hyper (au-dessus, au plus haut degré)
hypertrophie, hyperbole, hypertension, hyperactif

hypo (sous, au-dessous)
hypothèse, hypogée, hypocrisie, hypodermique, hypothermie

Les radicaux en *L*

lith(o), du grec *lithos* (pierre)
lithographie : reproduction par impression sur une pierre calcaire
lithiase : maladie de la « pierre » ; d'où : calculs rénaux
mono**lith**e : d'un seul bloc de pierre
aéro**lith**e : météorite formée de roches
méga**lith**e : monument d'une seule pierre dressée de grande dimension
néo**lith**ique : période la plus récente de l'âge de pierre
paléo**lith**ique : période la plus ancienne de la pierre taillée

log(o), du grec *logos* (parole, discours)
logorrhée : discours qui s'écoule, comme le sang
mono**logue** : discours d'une personne seule
dia**logue** : discours entre deux personnes
pro**logue** : discours placé avant
épi**logue** : discours placé à la fin
cata**logue** : texte qui se lit de haut en bas (d'un rouleau)
mytho**logie** : ensemble de récits légendaires
anthropo**logie**, archéo**logie**, bio**logie**, géo**logie**... (tous les mots désignant une étude, une spécialité, une discipline)

Les radicaux en *M* et *N*

man, du grec *mania* (folie)

manie : domination de l'esprit par une idée fixe

maniaque : qui est habité par une obsession ou excessivement attaché à des habitudes

mélo**man**e : qui a une connaissance passionnée de la musique

mégalo**man**e : qui a la folie des grandeurs

pyro**man**e, clepto**man**e (ou klepto**man**e), mytho**man**e : qui obéit à l'impulsion incontrôlée d'allumer des incendies, de voler, de tenir des propos mensongers

toxico**man**e, opio**man**e, morphino**man**e : qui est dominé par le besoin et l'usage des drogues, de l'opium, de la morphine

morph(o), du grec *morphê* (forme harmonieuse)

morphologie : étude de la forme et de la structure d'un organisme vivant ou d'un mot

poly**morph**e : qui se présente sous des formes différentes

a**morph**e (*a* : préfixe privatif) : sans forme ; d'où : sans réaction

anthropo**morph**e : qui a la forme, l'apparence d'un être humain

méta**morph**ose : changement de forme, transformation

ana**morph**ose : effet d'optique qui produit le changement de forme d'une image

À noter

Le mot morphine vient du nom de Morphée, dieu grec du sommeil.

Il existe d'autres radicaux importants en **m** et **n**.

méga(lo) (très grand)

mégalithe, mégapole, mégalomane

mél(o) (musique)

mélodie, mélomane, mélodrame, mélopée

 **micro** (petit)
microbe, microscope, microcosme, microchirurgie, microclimat

 **mis(o)** (qui déteste)
misanthrope, misogyne

 **mon(o)** (un seul)
monarchie, monocle, monologue, monotone, monothéisme, monoparental

 **néo** (nouveau)
néon, néologisme, néolithique, néogothique, néoréalisme

À noter

Le radical **néo** s'écrit avec un trait d'union si le mot qui le suit commence par un **i** ou est dérivé d'un nom propre.
néo-impressionniste, néo-zélandais

Les radicaux en *O*

 **onym**, du grec *onoma*, *onomatos* (nom) ; prend aussi la forme **onomato**, **onomast**

an**onym**e (*an-* : préfixe privatif) : sans nom ;
d'où : qui ne fait pas connaître son nom

patr**onym**e : nom de famille donné par le père

pseud**onym**e : faux nom ; d'où : nom d'emprunt

hom**onym**e : le même nom ; d'où : mot de prononciation identique à celle d'un autre mais de sens différent

syn**onym**e : mot qui partage avec d'autres le même sens

ant**onym**e : mot qui s'oppose à un autre par le sens

par**onym**e : mot à côté d'un autre ; d'où : mot que l'on confond avec un autre qui lui ressemble

onomatopée : mot créé par imitation de sons

onomastique : étude des noms propres de personnes

ortho, du grec *orthos* (correct, droit)

orthographe : manière correcte d'écrire les mots

orthodoxe : conforme à la droite doctrine, aux dogmes d'une religion

orthopédie : redressement des difformités du corps chez l'enfant ; d'où : branche de la médecine spécialisée dans le squelette, les muscles et les tendons

orthodontiste, **ortho**phoniste, **ortho**ptiste : spécialiste qui corrige la mauvaise position des dents, les défauts d'élocution, les troubles visuels

orthogonal : qui forme un angle droit

Les radicaux en *P*

pan, du grec *pan, pantos* (tout) ; cf. le dieu Pan ; prend aussi la forme **panto**

pandémie : épidémie qui atteint toute une population

panthéisme : doctrine selon laquelle tout est Dieu ; qui divinise la nature

panthéon : temple dédié à tous les dieux

panorama : paysage que l'on peut contempler de tous côtés

panacée : remède universel

pantographe : instrument qui permet de tout dessiner par reproduction

pangermanisme, **pan**africain, **pan**américanisme... (apparaît associé aux noms de peuples ou de cultures pour exprimer l'idée d'unité totale)

À noter

Pan se prononce [pan] devant une voyelle et [pɑ̃] devant une consonne.

path(o), du grec *pathos* (ce que l'on éprouve)

pathétique : qui émeut fortement

sym**path**ie : émotion partagée

anti**path**ie : sentiments contraires ; d'où : éloignement, aversion
télé**path**ie : sentiment de communication à distance par la pensée
a**path**ie (*a* : préfixe privatif) : privation d'émotion, incapacité de réagir
pathologie (au sens de souffrance) : étude des maladies et de leurs causes
pathogène : qui cause une maladie
psycho**path**e, névro**path**e, myo**path**ie... (et d'autres mots désignant les malades et les maladies)
homéo**path**ie, ostéo**path**ie... (et d'autres mots désignant la façon de soigner)

ped(o), du grec *pais*, *paidos* (enfant)
pédagogue : qui conduit, qui instruit l'enfant
pédiatre : médecin qui soigne les enfants
pédophile : qui ressent une attirance sexuelle pour les enfants
ortho**péd**ie : à l'origine, art de corriger les malformations chez l'enfant ; d'où : étude des affections du squelette, des muscles et des tendons
encyclo**péd**ie : ouvrage qui fait le tour des connaissances pour l'instruction des enfants

À noter

Il ne faut pas confondre le radical **ped** avec le radical latin **ped(i)** (pied).

pol(i), du grec *polis* (ville) ; la cité grecque
acro**pol**e (un) : la ville haute
nécro**pol**e (une) : la ville des morts
métro**pol**e : la ville mère ; d'où : la ville principale
méga**pol**e : ville de très grande dimension ; on dit aussi mégalopole
police : jusqu'au XVIIIe siècle, avait pour sens le gouvernement de la ville

politique : jusqu'au XVIIIe siècle, avait pour sens la manière de gouverner

cosmo**poli**te : « citoyen du monde », qui est chez lui dans tous les pays

À noter

On trouve le radical **pol(i)**, sous une forme un peu différente, dans de nombreux noms de villes fondées dans l'Antiquité gréco-romaine : Constantinople (la ville de Constantin) ; Naples (*Neapolis* : la ville neuve) ; Antibes (*Antipolis* : la ville en face [de Nice]), etc.

poly, du grec *polus* (nombreux)

polygone : qui a plusieurs angles

polysémie : le fait qu'un mot possède plusieurs sens

polyglotte : qui parle plusieurs langues

polygame : homme, ou femme, uni à plusieurs femmes, ou hommes, à la fois

polychrome : qui possède plusieurs couleurs

polythéiste : qui croit à l'existence de plusieurs dieux

polymorphe : qui se présente sous plusieurs formes

polyphonie : composition à plusieurs voix

Poly entre dans la composition de nombreux autres mots : **poly**valent, **poly**copie, **poly**technique, **poly**culture...

Il existe d'autres radicaux importants en **p**.

phil(o) (qui aime)

philanthrope, philharmonique, philosophe, bibliophile, cinéphile, pédophile

phob (qui déteste)

phobie, claustrophobe, xénophobe

phon(o) (son, voix)

phonétique, phoniatre, aphone, euphonique, téléphone, francophone

psyc(h)(o) (esprit)
psychiatre, psychanalyste, psychologie, métempsycose (sans *h*)

pyr(o) (feu)
pyromane, pyrogravure, pyrotechnie, pyrolyse

Les radicaux en *R* et *S*

(r)rh, **r(h)a(g)**, du grec *rheîn* (couler, s'écouler) ; prend aussi la forme **rhéo**

rhume : inflammation et écoulement de la muqueuse nasale

rhumatisme : écoulement d'humeurs ; d'où : inflammation des muscles et des articulations

dia**rrh**ée : écoulement à travers (les intestins) ; d'où : colique

logo**rrh**ée : flux irrépressible de paroles

méno**rrh**ée : écoulement mensuel (menstruation, règles)

hémo**rrag**ie : écoulement de sang

rhéostat : qui régularise le « flux » électrique ; d'où : résistance qui permet de régler l'intensité du courant électrique

À noter

Le facteur rhésus (symbole Rh) n'est pas formé de ce radical. Il doit son nom au singe macaque du nord de l'Inde, appelé *rhésus*, dont le sang a servi à mettre en évidence ce facteur.

syn, du grec *sun* (ensemble, avec) ; **sym** devant *b* et *p*, **syl** devant *l*

synchrone : qui se produit dans le même temps

syncope : avec une coupure ; d'où : perte de conscience

synagogue : où l'on va ensemble ; d'où : lieu de culte israélite

syndic(at) : qui se présente en justice avec quelqu'un pour l'assister ; d'où : association pour la défense d'intérêts communs

syndrome : ensemble de signes qui s'observent dans plusieurs maladies

synonyme : mot qui partage avec d'autres le même sens

syntaxe : relation entre les mots dans la phrase

synthèse : action de poser ensemble ; d'où : ensemble dans lequel des éléments sont méthodiquement réunis

symptôme : ce qui tombe avec ; d'où : phénomène qui accompagne une maladiesymbole : donné avec ; d'où : élément qui sert à en désigner un autre, plus abstrait

symbiose : association étroite entre des organismes vivants

sympathie : le fait de partager la douleur d'autrui ou d'éprouver des sentiments bienveillants envers quelqu'un

symphonie : ensemble de sons ; d'où : composition musicale à plusieurs mouvements

syllabe : groupe de voyelles et de consonnes qui se prononcent en une seule émission de voix

Les radicaux en *T*

télé, du grec *têle* (au loin)

téléscope : instrument d'optique qui permet l'observation d'objets éloignés

téléphone, **télé**vision : appareils de transmission à distance

téléphérique : qui transporte [loin] dans une cabine suspendue à un câble

télécommunication, **télé**commandé, **télé**guidé, **télé**objectif, **télé**détection, **télé**surveillance...

À noter

Les mots formés du radical **télé** s'écrivent sans trait d'union. Il ne faut pas confondre le radical **télé** avec la forme abrégée de *télé[vision] (téléfilm)*, ni avec celle de *télé[phone] (téléconseiller)*, ni avec celle de *télé[phérique] (téléski, télésiège)*.

Il existe d'autres radicaux importants en **t**.

thalass(o) (mer)
thalassothérapie

thana(t) (mort)
thanatologie, euthanasie

thé(o) (dieu)
théologie, théocratie, monothéisme, athée, panthéon, apothéose

thérap (soigner)
thérapie, thérapeute (s'ajoutent à un mot pour désigner la spécialité et celui qui l'exerce : kinésithérapie, psychothérapeute)

top(o) (lieu)
topographie, toponyme, biotope, utopie

32 Les homonymes

- *Il est peu probable que l'on prenne un* **chérif** *(un prince arabe) pour un* **shérif** *(un officier de police aux États-Unis), ou une* **fausse sceptique** *pour une* **fosse septique.**
- *Mais d'autres mots homonymes (de même prononciation) sont beaucoup plus souvent confondus.*
Quelques indices cependant permettent de les distinguer.

un abord • les abords

- **un abord** : façon d'aborder quelqu'un ou de se présenter à quelqu'un

Être d'un abord facile ; au premier abord, qui signifie *à première vue*

- **les abords** (toujours au pluriel) : ce qui donne accès à un lieu, les alentours

On surveille les abords du stade.

un acquis • acquit

- **un acquis** (du verbe *acquérir*) : qui a été gagné

Les acquis sociaux sont menacés.
Les caractères acquis s'opposent aux caractères innés.
Il est acquis à notre cause. (penser au nom *acquisition*)

- **acquit** (du verbe *acquitter*) : qui a été payé

Pour acquit. (écrit au bas d'une *quittance*)
Par acquit de conscience. (signifie que la conscience est *quitte*)

une arche • une arche

- **une arche** : un coffre de bois

L'arche de Noé ; l'Arche d'Alliance des Hébreux.

- **une arche** : une voûte en forme d'arc

Les arches du pont ; la Grande Arche de la Défense.

une ballade • une balade

- **une ballade** : un poème (souvent mis en musique)

Écouter des ballades irlandaises.

- **une balade** : une promenade (les dérivés de *balade* s'écrivent aussi avec un seul *l*)

Faire une balade en forêt. Envoyer balader.
Viens voir les baladins.

un cahot • un chaos

- **un cahot** : une secousse d'une voiture (adjectif : *cahotant* ou *cahoteux*)

Ressentir les cahots du chemin.

- **un chaos** (prononcer [kao]) : un grand désordre (adjectif : *chaotique*)

Il y a des chaos rocheux en Bretagne.

censé • sensé

- **censé** : supposé

Nul n'est censé ignorer la loi.

- **sensé** : de bon sens

Son raisonnement m'a paru très sensé. (penser au nom *sens*)

décrépi • décrépit

- **décrépi** : qui a perdu son crépi

La vieille maison a une façade décrépie.

- **décrépit** : dans un état de déchéance physique du fait de l'âge

Le vieillard décrépit marche lentement ;
sa silhouette est décrépite. (penser au nom *décrépitude*)

délacer • délasser

- **délacer** : défaire ce qui est lacé

Délacer ses chaussures. (penser au nom *lacet*)

- **délasser** : reposer, détendre (nom dérivé : *délassement*)

Certains jeux sont faits pour délasser l'esprit.
(penser au nom *lassitude*)

détoner • détonner

détoner : exploser, émettre une détonation (un seul *n*)
On entend détoner les explosifs.

détonner : contraster, ne pas être dans le ton juste, chanter ou jouer faux
Une voix détonne dans cet ensemble.

différent • un différend

différent : qui diffère, qui est dissemblable, distinct
Le garçon a un caractère très différent de celui de sa sœur.

un différend : un désaccord, un litige
Le différend qui durait depuis longtemps a finalement été réglé à l'amiable.

exaucer • exhausser

exaucer : satisfaire un vœu, répondre favorablement à une demande
Vos souhaits ont été exaucés.

exhausser : augmenter la hauteur, rehausser
Exhausser un mur. (penser à l'adjectif *haut*)

exprès • express

exprès (invariable) : remis au destinataire avant l'heure de la distribution ordinaire
Envoyer un colis ou une lettre exprès.

express (invariable) : qui assure un déplacement rapide
Voyager en train express. Emprunter une voie express.

le fond • le fonds

le fond : la partie la plus basse de quelque chose de creux, de profond
Le fond du verre. Au sens figuré, le fond du problème. (penser au nom *fondement*)

le fonds : 1. un ensemble de biens
Céder un fonds de commerce.
2. un capital
Une mise de fonds ; le Fonds monétaire international.

le golf • le golfe

le golf : le sport qui consiste à envoyer des balles dans des trous disposés le long d'un parcours

Jouer au golf, au golf miniature.

le golfe : la côte d'une vaste baie où avance la mer

Le golfe de Gascogne ; les pays du Golfe.

un gril • un grill

un gril : un ustensile sur lequel on fait griller le poisson ou la viande

Poser le gril sur la braise.

un grill : un restaurant de grillades

S'arrêter dans un grill au bord de la route.

haler • hâler

haler : tirer à l'aide d'une corde (nom dérivé : *halage*)

Haler un bateau.

hâler : brunir la peau (nom dérivé : *hâle*)

Le teint hâlé par le soleil.

un martyr • le martyre

un martyr : 1. qui souffre et meurt pour défendre sa foi

Les saints apôtres et martyrs.

2. qui est maltraité

Un enfant martyr.

le martyre : la souffrance, la mort endurées par un martyr

Le martyre de saint Sébastien ; souffrir le martyre.

une paire • un pair

une paire : deux choses ou deux êtres semblables qui sont réunis

Une paire de chaussures ; une paire d'amis.

un pair : un égal par la situation, la fonction

Être élu par ses pairs.

C'est ce mot qui est employé dans les locutions : hors pair ; aller de pair ; travailler au pair.

une pause • une pose

une pause : interruption momentanée
Faire la pause pour le déjeuner.

une pose : 1. action de poser
On attend les ouvriers pour la pose du carrelage.
2. attitude du corps, d'un modèle devant un artiste
Prendre la pose devant le photographe.
(penser au nom *position*)

près de • prêt à

près de (+ infinitif) : sur le point de (*près de*, adverbe, est invariable)
Il est parti avec la caisse, on n'est pas près de le revoir.
La route est coupée : elles ne sont pas près d'arriver.

prêt à (+ infinitif) : disposé à, en état de, capable de (*prêt à*, adjectif, s'accorde)
Soyez prêts à partir dans une heure.
Je suis prête à vous aider.

un(e) pupille • la pupille

un(e) pupille : orphelin(e) mineur(e) pris(e) en charge par un tuteur ou une collectivité
Les pupilles de la Nation sont les enfants des victimes d'une guerre.

la pupille : le centre de l'iris de l'œil.
Les pupilles sont dilatées par l'obscurité.

raisonner • résonner

raisonner : faire usage de sa raison
Raisonner avant d'agir.

résonner : produire un son, retentir
Le bruit de ses pas résonne dans le couloir.

un repaire • un repère

un repaire : un endroit caché où se retirent les animaux ou les malfaiteurs
Le repaire de brigands est découvert par le héros du roman.

- **un repère** : une marque qui permet de retrouver un endroit

Il s'est fixé la troisième bouée comme point de repère.
(penser au verbe *repérer*)

sain • saint

- **sain** : qui est en bonne santé, qui contribue à la bonne santé

Un esprit sain dans un corps sain ; un climat sain.
(penser à l'adjectif *sanitaire*)

- **saint** : qui a un caractère sacré, en particulier pour l'Église catholique

Visiter les lieux saints ; un saint patron.
(penser au nom *sainteté*)

une session • une cession

- **une session** : la période pendant laquelle une assemblée tient séance

Être convoqué aux examens pour la session de septembre.
(penser au nom *séance*)

- **une cession** : l'action de céder un bien, un droit

Effectuer les démarches nécessaires à la cession d'un fonds de commerce. (penser au verbe *céder*)

subi • subit

- **subi** : qui est supporté, enduré (participe passé du verbe *subir*)

Le choc subi l'année dernière n'a laissé aucune séquelle.

- **subit** : qui se produit en très peu de temps, brusque

Il est naturel qu'un départ si subit vous laisse sans réaction.
(penser à l'adverbe *subitement*)

la une • la hune

- **la une** : la première page d'un journal

L'événement a fait la une. (penser à la *page une*)

- **la hune** : la plate-forme arrondie sur le mât d'un navire

Monter à la hune du grand mât.

33 Les paronymes

● *Certains mots ont tendance à ressembler à d'autres mots. À quelques détails près. Cela tient à une lettre qui change, à une syllabe intervertie ou à un préfixe différent.*

● *La différence est minime. Mais ces mots, si proches par leur apparence, n'ont pas du tout le même sens.*

abjurer • adjurer

abjurer (*ab-* : loin de) : renoncer solennellement à une religion, à une opinion

Henri IV a abjuré la religion protestante.

adjurer (*ad-* : vers, en direction de) : supplier avec insistance

On l'adjurait de ne pas céder.

l'acception • l'acceptation

l'acception : le sens dans lequel un mot est employé

Le mot *fruit* peut avoir une acception figurée.

l'acceptation : le fait de consentir, d'accepter

Il n'a pas encore donné son acceptation.

l'affection • l'affectation

l'affection : les sentiments tendres

Avoir, prendre quelqu'un en affection.
(penser au verbe *affectionner*)

l'affectation : 1. un poste

Obtenir, rejoindre son affectation.
2. le manque de naturel

Minauder avec affectation. (penser à l'adjectif *affecté*)

affliger • infliger

affliger : 1. attrister (nom dérivé : *affliction*)

Cette nouvelle l'a beaucoup affligé.

2. posséder quelque chose d'affligeant
Être affligé d'un rhume tenace.

infliger : imposer, faire subir
On lui a infligé une amende de 90 €.

agoniser • agonir

agoniser : lutter contre la mort et mourir, être à l'agonie (verbe intransitif)
Le malheureux aura agonisé longtemps.
(penser à l'adjectif *agonisant*)

agonir : accabler (d'injures), insulter (verbe transitif)
Aussitôt, on les a agonis d'injures.

une allusion • une illusion

une allusion : un sous-entendu
Il a fait une allusion discrète à son remariage.

une illusion : une apparence, une croyance dénuée de réalité
Le théâtre est le royaume de l'illusion. Se faire des illusions.

une amnistie • un armistice

une amnistie : un acte par lequel le pouvoir législatif annule les condamnations
L'amnistie des contraventions n'est pas à l'ordre du jour.

un armistice : en temps de guerre, la suspension des hostilités par un accord mutuel
L'armistice du 11 novembre 1918 met fin à la Grande Guerre.

un anglicisme • l'anglicanisme

un anglicisme : un emprunt à la langue anglaise
Préparer son futur (pour *avenir*) est un anglicisme.

l'anglicanisme : la religion officielle de l'Angleterre
L'anglicanisme est né au XVIe siècle.

des attentions • des intentions

des attentions : les marques d'intérêt et de délicatesse envers quelqu'un
On l'entoure de multiples attentions.
(penser à l'adjectif *attentif*)

des intentions : des projets, des résolutions

Faire part de ses intentions pour l'avenir.

une avarie • une avanie

une avarie : des dégâts causés au cours d'un transport maritime ou aérien

Faire escale pour réparer les avaries.
(penser à l'adjectif *avarié*)

une avanie : une humiliation, un affront public

Faire subir les pires avanies aux « bizuts ».

la barbarie • un barbarisme

la barbarie : une cruauté sauvage

Des actes de barbarie sont commis sur les populations civiles.

un barbarisme : une faute de langue, une impropriété

Ils croivent pour *ils croient* est un barbarisme.

se colleter avec • se coltiner

se colleter avec (langue soutenue) : se débattre

Il lui a fallu se colleter avec les difficultés.

se coltiner (langue familière) : se charger de, contre son gré

Je me suis déjà coltiné tout le travail.

une collision • une collusion

une collision : un choc brutal

Deux véhicules sont entrés en collision.

une collusion : une entente secrète, une connivence

On dénonce la collusion de la presse avec le pouvoir politique.

une conjecture • la conjoncture

une conjecture : une supposition, une hypothèse

En l'absence de preuves, on ne peut se livrer qu'à des conjectures. (penser à une *projection* de l'imagination)

la conjoncture : une situation qui résulte d'un ensemble de circonstances

La conjoncture économique est favorable.

consommer • consumer

consommer : utiliser, absorber (boire, manger)

Cette voiture consomme moins d'essence.

consumer : épuiser, détruire par le feu

Les bûches seront bientôt consumées.

décerner • discerner

décerner : accorder une récompense

On lui a décerné l'oscar de la meilleure actrice.

discerner : percevoir, différencier

Discerner un changement. Discerner le vrai du faux.
(penser au nom *discernement*)

déchiffrer • défricher

déchiffrer : lire une langue inconnue, une écriture difficile ou une partition musicale

Champollion a déchiffré les hiéroglyphes.
(penser au nom *chiffre*)

défricher : nettoyer un terrain pour le rendre cultivable

Défricher une forêt, une lande.

décimer • disséminer

décimer : mettre à mort (une personne sur dix, d'après l'étymologie), faire périr

Le fléau a décimé la population. (penser à l'adjectif *décimal*)

disséminer : répandre, disperser

Les villas sont disséminées sur toute la côte.
(penser au verbe *semer*)

le dénuement • le dénouement

le dénuement : l'état de celui qui manque du nécessaire.

Les réfugiés sont contraints de vivre dans le plus complet dénuement. (penser à l'adjectif *dénué*)

le dénouement : le moment où se termine et se résout une intrigue, une affaire, une crise

L'aventure a finalement connu un dénouement heureux.
(penser au nom *nœud*, au verbe *dénouer*)

dénué • dénudé

dénué : privé de, dépourvu de

Cet individu est dénué de scrupule.
Ce livre est dénué d'intérêt. (penser au nom *dénuement*)

dénudé : nu, dégarni

Ses épaules sont dénudées. (penser au nom *nudisme*)

la dépréciation • des déprédations

la dépréciation : le fait de dévaloriser, de discréditer

La dépréciation de la monnaie, du travail est grave.
(penser au contraire de *précieux*)

des déprédations : des dégâts entraînés par le vol ou le pillage

Des déprédations ont été causées dans le quartier.
(penser au nom *prédateurs*)

désaffecté • désinfecté

désaffecté : qui n'est plus affecté à sa vocation première

Plusieurs églises ont été désaffectées pendant la Révolution.

désinfecté : qui a été assaini, purifié de tout germe d'infection

Une plaie doit être désinfectée avec de l'alcool.
(penser à l'adjectif *infect*)

le désintérêt • le désintéressement

le désintérêt : le manque d'intérêt

Son désintérêt pour la question est flagrant.

le désintéressement : l'attitude de celui qui agit sans attendre de profit personnel

Aider bénévolement avec un grand désintéressement.

effleurer • affleurer

effleurer : toucher légèrement

Effleurer du bout des doigts.

affleurer : apparaître à la surface de l'eau ou du sol

Le rocher affleure.

une effraction • une infraction

une effraction : un bris de clôture ou de serrure
Les voleurs ont pénétré dans la villa par effraction.

une infraction : une violation de la loi
Commettre une infraction au code de la route.

une effusion • une infusion

une effusion : 1. une démonstration de tendresse
Couper court aux effusions.
2. un écoulement de sang
Déclencher un coup d'État sans effusion de sang.

une infusion : une tisane
Boire une infusion de tilleul, de verveine.

l'élocution • une allocution

l'élocution : la façon de parler, de prononcer les mots
Le comédien a une bonne élocution.

une allocution : un discours
L'allocution télévisée du président a été courte.

élucider • éluder

élucider : rendre clair ce qui ne l'était pas
Le mystère est à élucider. (penser à l'adjectif *lucide*)

éluder : éviter, écarter un sujet
Très gêné, il a rapidement éludé la question.

émerger • immerger

émerger (*é-*, *ex-* : en dehors) : sortir (de l'eau)
La partie émergée de l'iceberg est celle que l'on voit.

immerger (*in-*, *im-* : dedans) : plonger dans l'eau
La partie immergée de l'iceberg est celle que l'on ne voit pas.

éminent • imminent

éminent : supérieur, remarquable dans son domaine
Il s'agit d'un éminent professeur de médecine.

imminent : sur le point de se produire, très proche
Tenez-vous prêts à une arrivée imminente.

une éruption • une irruption

une éruption (*é-*, *ex-* : hors de) : un jaillissement, une poussée de matière

Le volcan est en éruption.

une irruption (*ir-*, *in-* : à l'intérieur) : une entrée en force de façon inattendue

La police a fait irruption dans la salle.

un éventaire • un inventaire

un éventaire : un étalage extérieur d'une boutique où sont exposées les marchandises

L'éventaire du fleuriste. (penser à l'adjectif *éventé* : en plein air)

un inventaire : un recensement de ce qui existe ; la description qui en est faite

Fermé pour cause d'inventaire.

évoquer • invoquer

évoquer : faire apparaître à l'esprit, rappeler au souvenir

Nous avons brièvement évoqué le problème.

invoquer : implorer, appeler à son secours, faire valoir en sa faveur

Il a invoqué la légitime défense. Quelles sont les raisons invoquées pour justifier cette fermeture ?

exalter • exulter

exalter : élever quelque chose ou quelqu'un au-dessus du niveau ordinaire

Le spectacle était censé exalter le courage des soldats.

exulter : être transporté de joie

Il a réussi ; il exulte.

un goulet • un goulot

un goulet : un passage étroit et resserré dans la montagne, sur la côte, sur une voie de circulation

Le péage de l'autoroute forme un goulet d'étranglement.

un goulot : le col d'une bouteille ou d'un vase

Saisir une bouteille par le goulot.

un idiotisme • une idiotie

un idiotisme : une construction particulière à une langue, à un idiome

« Être en train de » est un idiotisme propre au français.

une idiotie : une sottise

Partir si tard était une idiotie de ma part.

importun • opportun

importun : qui dérange, qui se montre indiscret, indésirable, qui tombe mal

Cette visite importune me contrarie.
(penser au verbe *importuner*)

opportun : qui vient à propos, qui tombe bien

Cette visite opportune me fait plaisir.
(penser à l'adjectif *opportuniste*)

imprudent • impudent

imprudent : qui ne prend aucune précaution

Partir ce soir est très imprudent.
(penser à *prudence ≠ sans prudence*)

impudent : arrogant, impertinent

Un homme impudent lui tient tête.
(penser à *pudeur ≠ sans pudeur*)

inculper • inculquer

inculper : accuser ; on dit aujourd'hui mettre en examen

La police l'a inculpé pour vol avec effraction.
(penser au nom *inculpation*)

inculquer : enseigner, faire entrer dans l'esprit

Inculquer les bases de la lecture, du calcul et de la morale.

induire • enduire

induire : amener, conduire quelqu'un à faire (une erreur)

On l'a induit, il a été induit en erreur.

enduire : recouvrir d'un enduit

Le papier a d'abord été enduit de colle.

infester • infecter

- **infester** : envahir un lieu (nom dérivé : *infestation*)

Le rivage est infesté de requins et de moustiques.

- **infecter** : transmettre une infection (nom dérivé : *infection*)

La plaie s'est infectée.

insoluble • indissoluble

- **insoluble** : qui ne se dissout pas ; au sens figuré, qu'on ne peut pas résoudre

Le problème est insoluble.

- **indissoluble** : qui ne peut être désuni

Nos liens d'amitié semblent indissolubles.

luxuriant • luxurieux

- **luxuriant** : qui se déploie avec abondance

La végétation tropicale est luxuriante.

- **luxurieux** : qui se livre à la débauche

Lancer un regard luxurieux.

l'obligeance • l'obligation

- **l'obligeance** : 1. le fait de rendre service, la gentillesse

Je vous remercie de votre obligeance.

2. Formule de politesse

Veuillez avoir l'obligeance de m'expédier ce livre.

- **l'obligation** : la nécessité, le devoir

Être dans l'obligation de partir.
Avoir des obligations envers quelqu'un.

oiseux • oisif

- **oiseux** : qui ne sert à rien

Prononcer des paroles oiseuses.

- **oisif** : qui est sans occupation

Mener une vie oisive.

perpétrer • perpétuer

- **perpétrer** : commettre (un acte criminel)

Le lieu où le crime a été perpétré est quadrillé par la police.

- **perpétuer** : faire durer

Un monument perpétue le souvenir du grand homme. Perpétuer une tradition. (penser à l'adjectif *perpétuel*)

un précepteur • un percepteur

- **un précepteur** : un professeur chargé de l'instruction d'un enfant qui ne fréquente pas d'école

Dans les familles russes, le précepteur devait parler aux enfants en français. (penser au mot *précepte*)

- **un percepteur** : un fonctionnaire chargé du recouvrement des impôts directs

Le contribuable a reçu un avis du percepteur au sujet de sa déclaration de revenus. (penser au verbe *percevoir*)

une prédiction • une prédication

- **une prédiction** : l'action de prédire

Ses prédictions se sont réalisées.

- **une prédication** : l'action de prêcher

La prédication des Apôtres.

prescrire • proscrire

- **prescrire** : recommander

Suivre attentivement ce qui est prescrit sur l'ordonnance.

- **proscrire** : interdire, condamner

Au volant, toute consommation d'alcool est proscrite.

prodigue • un prodige

- **prodigue** : 1. qui donne en abondance

Être prodigue de compliments.

2. qui dilapide son bien

Le père accueille le fils prodigue.

- **un prodige** : un phénomène extraordinaire ou une personne très douée

Cela tient du prodige. Un jeune pianiste prodige.

proéminent • prééminent

- **proéminent** : gros, qui avance, dépasse en relief

La femme enceinte a un ventre proéminent.

préeminent : supérieur, qui est au premier rang
Admirer l'autorité prééminente d'un savant.

prolifique • prolixe

prolifique : fécond, qui produit beaucoup
Un écrivain prolifique publie un très grand nombre d'œuvres. (penser au verbe *proliférer*)

prolixe : trop long, bavard dans son discours
Un écrivain prolixe écrit de façon diffuse, verbeuse.

respectueux • respectif

respectueux : qui éprouve, qui témoigne du respect
Veuillez agréer mes respectueuses salutations.

respectif : qui concerne l'un et l'autre, chacun pour sa part
Comparer la valeur respective de deux objets.

stimuler • simuler

stimuler : inciter, pousser
Un jeu astucieux stimule l'esprit d'observation.
(penser à *stimulus*, *stimulant*)

simuler : faire semblant, imiter l'apparence
Simuler une maladie, un sentiment.
(penser à *simili*, *similaire*)

subvenir • survenir

subvenir : fournir ce qui est nécessaire, pourvoir
Ils subviennent aux besoins de la famille.
(penser au nom *subvention*)

survenir : arriver brusquement
C'est alors que les difficultés surviennent.

une suggestion • une sujétion

une suggestion : une proposition faite à l'esprit, une inspiration donnée
J'attends vos suggestions. (penser au verbe *suggérer*)

une sujétion : un état de soumission
Suivre ce traitement médical lourd est une sujétion difficile à accepter. (penser au sujet par rapport au *souverain*)

34 Les mots à risque

- *Certains mots d'un niveau de langue assez soutenu sont volontiers utilisés mais souvent déformés. On les a mal entendus, on les répète de façon approximative.*
- *Fixer son attention sur la façon dont ces mots sont orthographiés devrait limiter les risques de les estropier.*

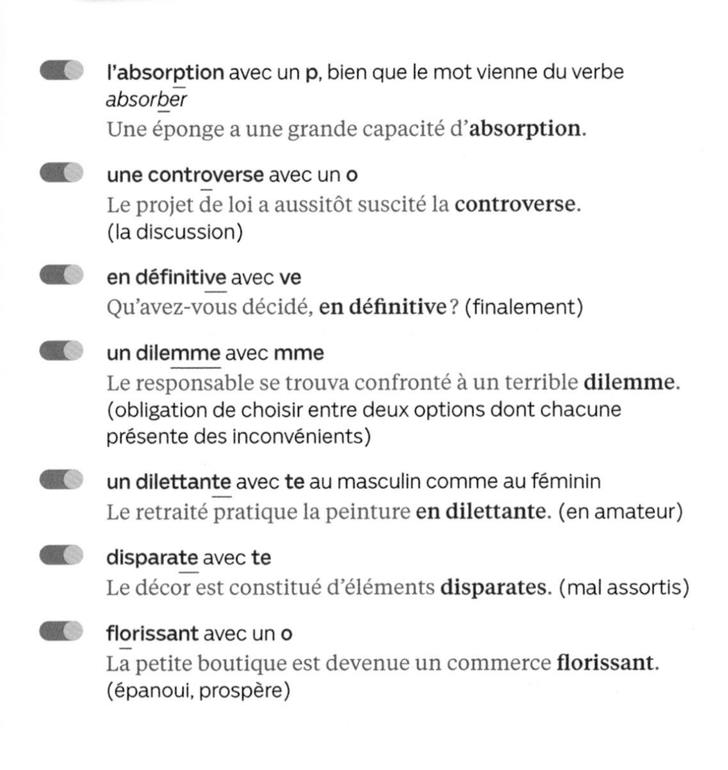

l'absorption avec un **p**, bien que le mot vienne du verbe *absorber*
Une éponge a une grande capacité d'**absorption**.

une controverse avec un **o**
Le projet de loi a aussitôt suscité la **controverse**.
(la discussion)

en définitive avec **ve**
Qu'avez-vous décidé, **en définitive** ? (finalement)

un dilemme avec **mme**
Le responsable se trouva confronté à un terrible **dilemme**.
(obligation de choisir entre deux options dont chacune présente des inconvénients)

un dilettante avec **te** au masculin comme au féminin
Le retraité pratique la peinture **en dilettante**. (en amateur)

disparate avec **te**
Le décor est constitué d'éléments **disparates**. (mal assortis)

florissant avec un **o**
La petite boutique est devenue un commerce **florissant**.
(épanoui, prospère)

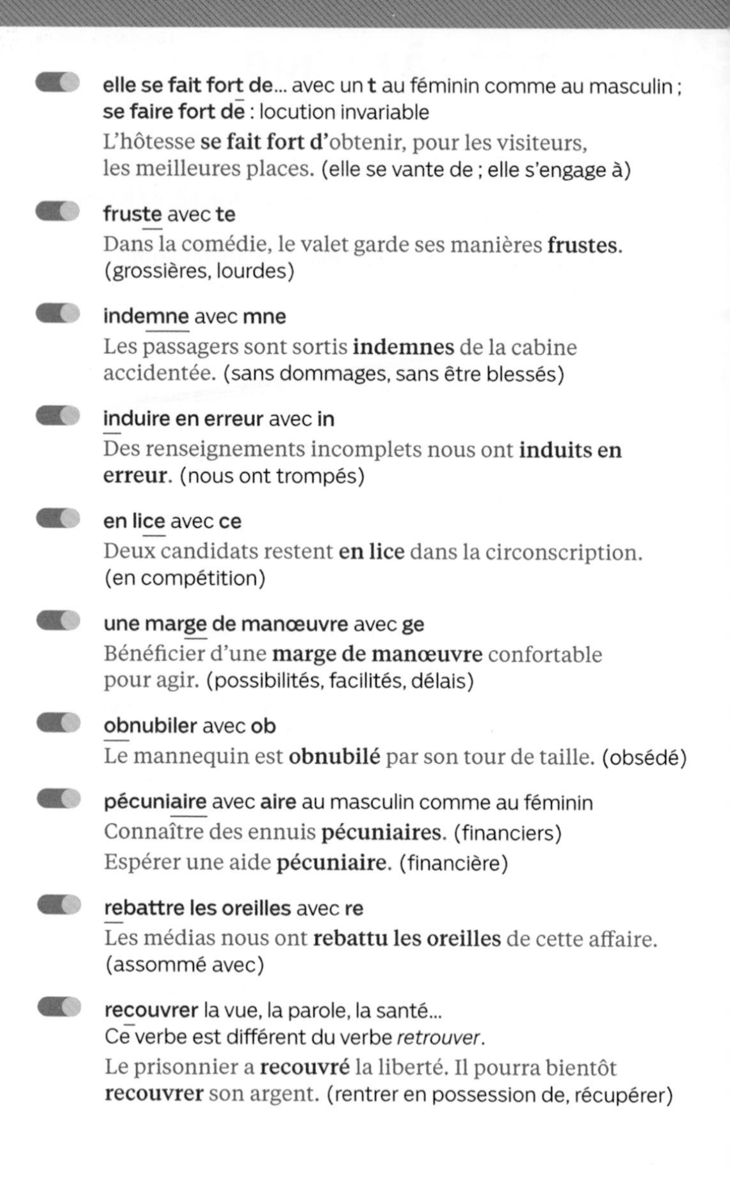

elle se fait fort de... avec un **t** au féminin comme au masculin ; **se faire fort de** : locution invariable

L'hôtesse **se fait fort d'**obtenir, pour les visiteurs, les meilleures places. (elle se vante de ; elle s'engage à)

fruste avec **te**

Dans la comédie, le valet garde ses manières **frustes.** (grossières, lourdes)

indemne avec **mne**

Les passagers sont sortis **indemnes** de la cabine accidentée. (sans dommages, sans être blessés)

induire en erreur avec **in**

Des renseignements incomplets nous ont **induits en erreur.** (nous ont trompés)

en lice avec **ce**

Deux candidats restent **en lice** dans la circonscription. (en compétition)

une marge de manœuvre avec **ge**

Bénéficier d'une **marge de manœuvre** confortable pour agir. (possibilités, facilités, délais)

obnubiler avec **ob**

Le mannequin est **obnubilé** par son tour de taille. (obsédé)

pécuniaire avec **aire** au masculin comme au féminin

Connaître des ennuis **pécuniaires.** (financiers)

Espérer une aide **pécuniaire.** (financière)

rebattre les oreilles avec **re**

Les médias nous ont **rebattu les oreilles** de cette affaire. (assommé avec)

recouvrer la vue, la parole, la santé...
Ce verbe est différent du verbe *retrouver*.

Le prisonnier a **recouvré** la liberté. Il pourra bientôt **recouvrer** son argent. (rentrer en possession de, récupérer)

rémunérer avec **muné**
Le travail du stagiaire sera-t-il **rémunéré** ? (rétribué, payé)

je vous **saurai gré** avec **au** (verbe *savoir*)
Je vous **saurai gré** de ne pas ébruiter cette nouvelle.
(je vous serai reconnaissant de…)

en un **tournemain** en un mot, avec **ne**
Cette locution se distingue de *avoir un bon tour de main* :
être habile.
Tout a été réglé en un **tournemain**. (en un instant)

il vaut mieux, il vaudrait mieux avec un **v**
Il **vaut mieux** réfléchir avant d'agir. Il **vaudrait mieux** partir plus tôt. (il est, il serait préférable)

35 Les faux amis

- *En anglais,* ***a performance*** *ne signifie pas* **une performance, un exploit,** *comme on pourrait le croire, mais* **une représentation** *(théâtrale par exemple). En italien,* ***la fermata*** *ne signifie pas* **la fermeture,** *comme on pourrait le croire, mais* **l'arrêt** *(d'autobus, par exemple). Ces mots sont des faux amis.*
- *En français, comme dans toutes les langues, on doit se méfier des faux amis. On croit pouvoir comprendre le sens d'un mot en le rapprochant d'un autre. Mais, dans certains cas, on a tort de se fier aux apparences.*

Les faux amis commençant par *A*

Le mot	n'a pas de rapport avec	dans ces exemples.
l'abattage	abattre	Une actrice qui a de l'**abattage**. = Une actrice qui a de l'**entrain**, du **dynamisme**.
accuser	une accusation	On a senti qu'il **accusait** le coup, le choc. = On a senti qu'il **ressentait** vivement le coup, le choc. **Accuser** réception d'un envoi. = **Informer** l'expéditeur qu'on a bien reçu l'envoi.
administrer	l'administration	**Administrer** un calmant. = **Faire prendre** un calmant. **Administrer** une bonne correction. = **Donner** une bonne correction.
une affection	l'affection, la tendresse	Avoir une **affection** de peau. = Avoir une **maladie** de la peau.

Le mot	n'a pas de rapport avec	dans ces exemples.
l'agrément	agréable	Transformer un appartement avec l'**agrément** du propriétaire. = Le transformer avec l'**accord**, la **permission** du propriétaire.
appliqué	s'appliquer avec soin	Les arts **appliqués**, la recherche **appliquée**. = Les arts ou la recherche **mis en pratique**.
arrêté	s'arrêter, se terminer	La date du rendez-vous a été **arrêtée**. = Elle a été **décidée**, **fixée**.

Les faux amis commençant par *B* ou *C*

Le mot	n'a pas de rapport avec	dans ces exemples.
un barbarisme	la barbarie	Commettre un **barbarisme** dans un discours. = Commettre une **erreur** dans l'utilisation d'**un mot**.
sujet à caution	une caution, une garantie, un dépôt	Une information **sujette à caution**. = Une information que l'on doit prendre **avec précaution**.
le chef	un chef, un directeur, un commandant	Quels sont les **chefs** d'accusation ? = Quels sont les **motifs**, les **causes** de l'accusation ?
le concours	un examen, une épreuve	Prêter son **concours** à un projet. = Prêter son **aide**, son **soutien**.
la condescendance	la descendance, la postérité	Regarder quelqu'un avec **condescendance**. = Regarder quelqu'un avec **hauteur** et **mépris**.

Le mot	n'a pas de rapport avec	dans ces exemples.
conjointement	le conjoint, le mari ou la femme	Les amis ont agi **conjointement.** = Les amis ont agi **ensemble** et **en même temps**.
consommé	la consommation	Un art, un artiste **consommé.** = Un art, un artiste **accompli, parfait**.

Les faux amis commençant par *D*

Le mot	n'a pas de rapport avec	dans ces exemples.
décliner	le déclin	**Décliner** une invitation. = Ne pas accepter, **refuser** une invitation.
un défaut	un défaut, le contraire d'une qualité	Les moyens nous font **défaut.** = Les moyens nous **manquent**.
défrayer	effrayer	Un événement qui a **défrayé** la chronique. = Un événement qui a été le **sujet essentiel** des nouvelles.
dénoncer	dénoncer un coupable, l'accuser	**Dénoncer** un contrat. = **Annuler**, **rompre** un contrat.
différer	une différence	Ils ont dû **différer** leur départ. = Ils ont dû **remettre à plus tard** leur départ.
la discrétion	discret, effacé, réservé	Le pourboire est laissé à la **discrétion** du client. Dessert à **discrétion.** = Le pourboire est laissé à l'**appréciation** du client. Du dessert **autant qu'on en veut**.

Le mot	n'a pas de rapport avec	dans ces exemples.
dispenser	dispenser, permettre de ne pas faire	L'infirmière **dispense** des soins à domicile. = L'infirmière **donne**, **effectue** des soins à domicile.

Les faux amis commençant par *E* ou *F*

Le mot	n'a pas de rapport avec	dans ces exemples.
l'élargissement	élargir, rendre plus large	L'avocat a demandé l'**élargissement** du détenu. = Il a demandé sa **mise en liberté**.
la fin	finir, arrêter, cesser	La **fin** justifie les moyens. = Le **but**, l'**objectif** justifie les moyens (que l'on utilise pour l'atteindre).
la fortune	la fortune, la richesse	Des émigrants sont retrouvés dans une embarcation de **fortune**. = Une embarcation **improvisée**, très **précaire**.

Les faux amis commençant par *G* ou *I*

Le mot	n'a pas de rapport avec	dans ces exemples.
gracieusement	gracieux, avec grâce	Un sac sera mis **gracieusement** à la disposition des clients. = Un sac sera mis **gratuitement** à la disposition des clients.
grossièrement	la grossièreté, la vulgarité	Un tableau peint, une histoire racontée **grossièrement**. = Peint à **grands traits**, racontée **sans précision**.

Le mot	n'a pas de rapport avec	dans ces exemples.
incessamment	incessant, ininterrompu, continuel	La nouvelle devrait vous parvenir **incessamment.** = La nouvelle devrait vous parvenir **très prochainement**, d'un moment à l'autre.
l'intelligence	l'intelligence, la capacité intellectuelle	Les deux colocataires vivent en bonne **intelligence.** = Ils vivent en bonne **entente**, en bonne **harmonie**.
intempestif	la tempête	Intervenir de façon **intempestive.** = Intervenir à un mauvais moment, **à contretemps**.

Les faux amis commençant par *L* ou *M*

Le mot	n'a pas de rapport avec	dans ces exemples.
liquide	un liquide, qui coule comme l'eau	Payer en argent **liquide.** = Payer en argent immédiatement **disponible**, en **espèces** (billets, pièces de monnaie).
la luxure	le luxe	Vivre dans la **luxure.** = Vivre dans la **débauche**, le **vice**.
malin, maligne	malin, maligne dans le sens de rusé(e)	Une tumeur **maligne.** = Une **mauvaise** tumeur, très nocive.
manquer	manquer, être absent	**Manquer** à sa parole. = **Ne pas respecter** sa parole.
le ménagement	le ménage, l'aménagement	Traiter quelqu'un sans **ménagement.** = Traiter quelqu'un sans **égard**, brutalement.

Le mot	n'a pas de rapport avec	dans ces exemples.
le menu	le menu d'un restaurant	On lui a expliqué l'affaire par le **menu**. = On lui a expliqué l'affaire en **détail**.
la méprise	le mépris	Les témoins ont reconnu leur **méprise**. = Ils ont reconnu leur **erreur**, ils ont reconnu qu'ils s'étaient trompés.

Les faux amis commençant par *N* ou *O*

Le mot	n'a pas de rapport avec	dans ces exemples.
naturalisé	la naturalisation d'un étranger par un pays d'accueil	Une marmotte **naturalisée**. = Une marmotte **empaillée**.
obligé, obligeant	l'obligation, la nécessité, la contrainte	Je vous serai très **obligé** de m'avertir. J'ai rencontré des voisins très **obligeants**. = Je vous serai très **reconnaissant** de m'avertir. J'ai rencontré des voisins très **aimables**, très **serviables**.
observer	l'observation, l'examen	**Observer** les consignes du règlement, les coutumes du pays. On est prié d'**observer** le plus grand silence. = **Obéir** aux consignes du règlement, aux coutumes du pays. On est prié de **garder** le plus grand silence.
ouvrable	ouvrir	Ne pas stationner les jours **ouvrables**. = Les jours où l'**on travaille**, qui ne sont pas des jours fériés.

Les faux amis commençant par *P*

Le mot	n'a pas de rapport avec	dans ces exemples.
une police	la police, les policiers	Une **police** d'assurance. = Un **contrat** d'assurance.
prévenir	prévenir, avertir, mettre au courant	Mieux vaut **prévenir** que guérir. = Mieux vaut **éviter un risque** grâce aux précautions prises.
prononcé	la prononciation, l'articulation	Avoir un goût **prononcé** pour le jardinage. = Avoir un goût **très fort**, très net pour le jardinage.
propre	la propreté	Le chef d'entreprise a apporté la somme nécessaire en fonds **propres**. = Il a apporté la somme sur son argent **personnel** (= qui est sa propriété).
proprement	la propreté	Une affaire **proprement** nationale. = Une affaire **strictement** nationale, qui ne concerne que le pays.
en puissance	la puissance, la force	En chaque apprenti, il voit un grand chef **en puissance**. = Il voit un grand chef **en devenir**, qui se révélera peut-être dans l'avenir.

Les faux amis commençant par *R*

Le mot	n'a pas de rapport avec	dans ces exemples.
une relation	un lien ; ou une personne que l'on connaît	On attend du témoin une **relation** fidèle des faits. = On attend du témoin un **récit** fidèle des faits.

Le mot	n'a pas de rapport avec	dans ces exemples.
relaxer	la relaxation, la détente, la décontraction	Le prévenu sera prochainement **relaxé.** = Le prévenu sera prochainement **remis en liberté**.
remercier	dire merci	L'employé indélicat a été **remercié.** = L'employé indélicat a été **congédié, renvoyé**.
remettre	remettre en place ou confier	On lui a **remis** sa dette. = On a **annulé** sa dette.
répondre de	répondre, apporter une réponse	**Répondre** de ses actes. = **Être responsable** de ses actes.
respectivement	le respect	Le Kenyan et l'Ukrainien partiront **respectivement** des couloirs 3 et 7. = Chacun pour sa part, dans l'**ordre énoncé** (le Kenyan : 3 ; l'Ukrainien : 7).
le ressort	un ressort	En dernier **ressort.** Cette affaire n'est pas de mon **ressort.** = **En définitive**. Cette affaire n'est pas de ma **compétence**.
rompu	rompre, casser	Un pianiste **rompu** à toutes les difficultés techniques. = Un pianiste **très habile** face aux difficultés, qui a une **grande expérience**

Les faux amis commençant par *S*

Le mot	n'a pas de rapport avec	dans ces exemples.
sensible	la sensibilité, l'émotion	Des quartiers **sensibles.** = Des quartiers **difficiles**.

Le mot	n'a pas de rapport avec	dans ces exemples.
somptuaire	somptueux	Des lois **somptuaires.** = Des lois **relatives aux dépenses excessives.**
souffrir, en souffrance	souffrir	Cette règle ne **souffre** aucune exception. Une affaire **en souffrance.** = Cette règle n'**admet**, ne **tolère** aucune exception. Une affaire **en suspens**, qui n'est pas conclue.
suffisant	suffire	Répondre d'un air, d'un ton **suffisant.** = Répondre d'un air, d'un ton **vaniteux**, **prétentieux**.
susceptible	la susceptibilité	Une offre **susceptible** de vous intéresser. = Une offre **en mesure de** vous intéresser.

Les faux amis commençant par *T*

Le mot	n'a pas de rapport avec	dans ces exemples.
le tempérament	le tempérament, l'humeur, le caractère	Acheter un appartement à **tempérament.** = Acheter un appartement à **crédit**, en échelonnant les paiements.
le théâtre	la représentation théâtrale	Le **théâtre** des opérations militaires. = Le **cadre**, le **lieu** où se déroulent les opérations.
la théorie	la théorie, les idées abstraites	La longue **théorie** des réfugiés. = La longue **file**, le **groupe** des réfugiés.

Le mot	n'a pas de rapport avec	dans ces exemples.
train de vie	le train-train, la routine	Avec leur nouvelle situation, leur **train de vie** va changer. = Leur **manière de vivre** en fonction de leurs ressources, leur standing.
trempé	trempé, très mouillé	La petite fille a un caractère bien **trempé**. = La petite fille a un caractère très **affirmé, énergique**.

Les faux amis commençant par *V*

Le mot	n'a pas de rapport avec	dans ces exemples.
la vélocité	le vélo	Le voleur s'est enfui avec **vélocité**. = Le voleur s'est enfui très **rapidement**.
le verbiage	les verbes, qui se conjuguent	Leur discours n'était que du **verbiage**. = Leur discours n'était que du **bavardage** creux, du **délayage**.
la vulgarisation	la vulgarité	Un ouvrage de **vulgarisation**. = Un ouvrage dans lequel les connaissances sont **rendues accessibles** au grand public.

36 Éviter les contresens

Attention à ces mots qu'on ne prend pas toujours pour ce qu'ils sont.

L'**acculturation** : l'adaptation d'un individu ou d'un groupe à une culture étrangère avec laquelle il est en contact. On ne donnera donc pas à ce mot le sens de *manque de culture* ou de *perte de la culture*.

Achalandé : qui voit passer beaucoup de clients (de l'ancien mot *chalands*). On ne donnera donc pas à ce mot le sens : *qui contient de nombreux articles*.

Un **avatar** : une transformation, les formes diverses que prend une personne ou une chose (à l'origine, les incarnations successives de Vichnou dans la religion hindoue). On ne donnera donc pas à ce mot le sens de *mésaventures* ou de *complications*.

Conséquent : qui est conforme à la logique.
Être conséquent avec soi-même, dans ses choix.
On ne donnera donc pas à ce mot le sens d'*important*, de *considérable*.

Cosmopolite : qui reçoit l'influence de pays variés.
Une foule cosmopolite est composée de personnes de tous les pays.
On ne donnera donc pas à ce mot le sens de *louche*, *suspect*.

Une **décade** : étymologiquement, une période de dix jours. On évitera donc de confondre ce mot avec *décennie*, qui est une période de dix ans.

Décavé : ruiné au jeu (la *cave* désignant la somme d'argent dont dispose le joueur). On ne donnera donc pas à ce mot le sens de *vieilli*, *décharné* que rendraient les mots *décati* ou *décrépit*.

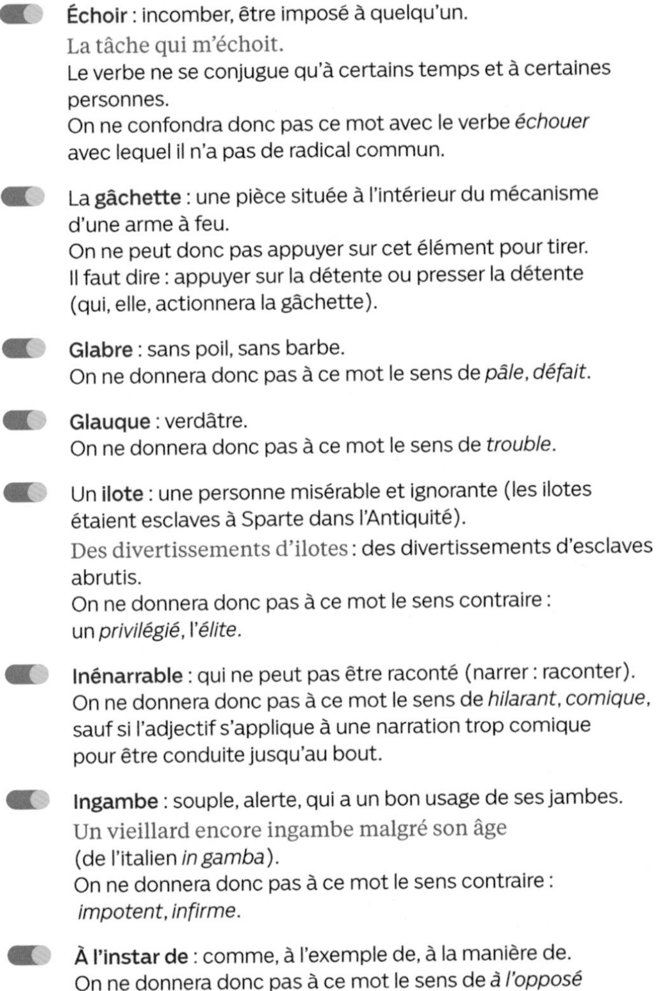

Échoir : incomber, être imposé à quelqu'un.
La tâche qui m'échoit.
Le verbe ne se conjugue qu'à certains temps et à certaines personnes.
On ne confondra donc pas ce mot avec le verbe *échouer* avec lequel il n'a pas de radical commun.

La **gâchette** : une pièce située à l'intérieur du mécanisme d'une arme à feu.
On ne peut donc pas appuyer sur cet élément pour tirer.
Il faut dire : appuyer sur la détente ou presser la détente (qui, elle, actionnera la gâchette).

Glabre : sans poil, sans barbe.
On ne donnera donc pas à ce mot le sens de *pâle*, *défait*.

Glauque : verdâtre.
On ne donnera donc pas à ce mot le sens de *trouble*.

Un **ilote** : une personne misérable et ignorante (les ilotes étaient esclaves à Sparte dans l'Antiquité).
Des divertissements d'ilotes : des divertissements d'esclaves abrutis.
On ne donnera donc pas à ce mot le sens contraire : un *privilégié*, l'*élite*.

Inénarrable : qui ne peut pas être raconté (narrer : raconter).
On ne donnera donc pas à ce mot le sens de *hilarant*, *comique*, sauf si l'adjectif s'applique à une narration trop comique pour être conduite jusqu'au bout.

Ingambe : souple, alerte, qui a un bon usage de ses jambes.
Un vieillard encore ingambe malgré son âge (de l'italien *in gamba*).
On ne donnera donc pas à ce mot le sens contraire : *impotent*, *infirme*.

À l'instar de : comme, à l'exemple de, à la manière de.
On ne donnera donc pas à ce mot le sens de *à l'opposé* ni de *en cachette de* que rendrait l'expression *à l'insu de*.

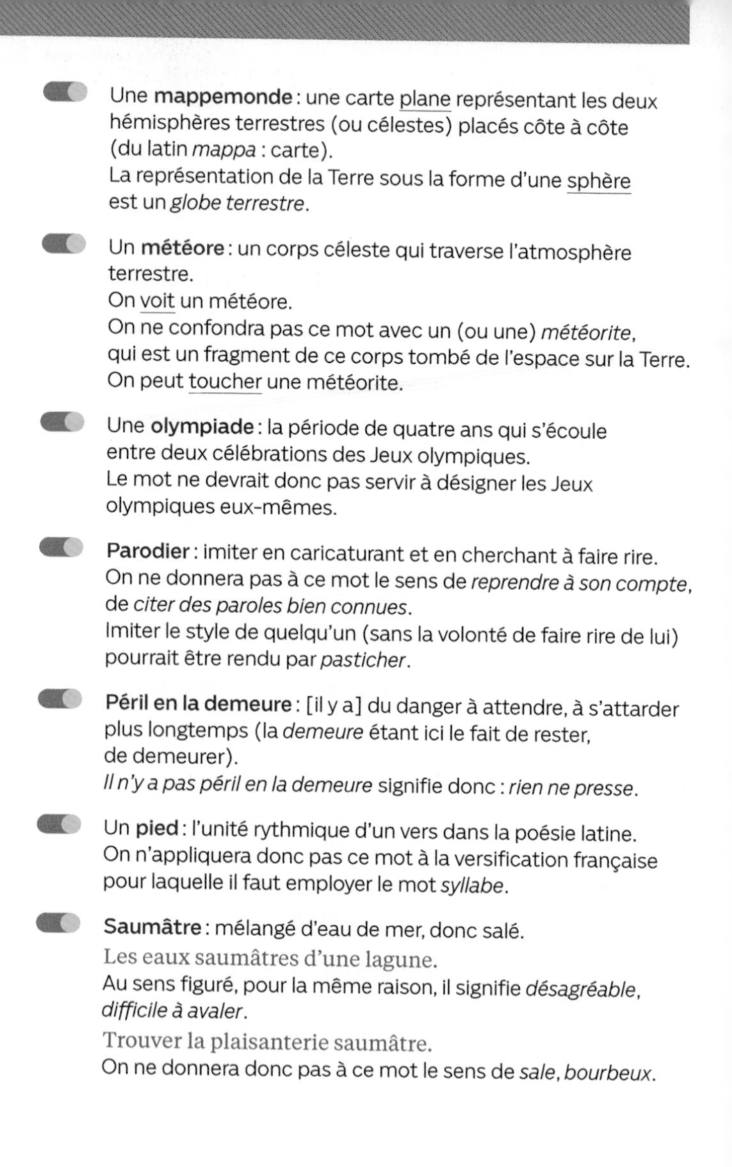

Une **mappemonde** : une carte plane représentant les deux hémisphères terrestres (ou célestes) placés côte à côte (du latin *mappa* : carte).
La représentation de la Terre sous la forme d'une sphère est un *globe terrestre*.

Un **météore** : un corps céleste qui traverse l'atmosphère terrestre.
On voit un météore.
On ne confondra pas ce mot avec un (ou une) *météorite*, qui est un fragment de ce corps tombé de l'espace sur la Terre.
On peut toucher une météorite.

Une **olympiade** : la période de quatre ans qui s'écoule entre deux célébrations des Jeux olympiques.
Le mot ne devrait donc pas servir à désigner les Jeux olympiques eux-mêmes.

Parodier : imiter en caricaturant et en cherchant à faire rire.
On ne donnera pas à ce mot le sens de *reprendre à son compte*, de *citer des paroles bien connues*.
Imiter le style de quelqu'un (sans la volonté de faire rire de lui) pourrait être rendu par *pasticher*.

Péril en la demeure : [il y a] du danger à attendre, à s'attarder plus longtemps (la *demeure* étant ici le fait de rester, de demeurer).
Il n'y a pas péril en la demeure signifie donc : *rien ne presse*.

Un **pied** : l'unité rythmique d'un vers dans la poésie latine.
On n'appliquera donc pas ce mot à la versification française pour laquelle il faut employer le mot *syllabe*.

Saumâtre : mélangé d'eau de mer, donc salé.
Les eaux saumâtres d'une lagune.
Au sens figuré, pour la même raison, il signifie *désagréable*, *difficile à avaler*.
Trouver la plaisanterie saumâtre.
On ne donnera donc pas à ce mot le sens de *sale*, *bourbeux*.

37 Quel genre pour ces noms : féminin ou masculin ?

- Une belle ébène *ou* un bel ébène ?

Attention aux noms sur le genre desquels on hésite.

Des noms féminins

Mot	Exemple
une aérogare	la nouvel**le** aérogare
l'algèbre	une algèbre compliqué**e**
une amibe	Certain**es** amibes sont dangereu**ses**.
une amnistie	l'amnistie présidentiel**le**
une anagramme (mot obtenu avec les lettres d'un autre mot réparties différemment)	Niche est une anagramme parfait**e** de chien.
une atmosphère	une atmosphère pesant**e**, chaleureu**se**
une autoroute	une nouvel**le** autoroute payant**e**
une azalée	un pot d'azalée blanc**he**
une câpre	des câpres confit**es**, délicieu**ses**
une caténaire (système de suspension des fils électriques)	une caténaire endommagé**e**
une dartre (dessèchement de la peau)	une dartre irritant**e**
l'ébène	de la bel**le** ébène
une ecchymose	de nombreu**ses** ecchymoses sur le bras

Mot	Exemple
une échappatoire	Aucune échappatoire n'est possible.
une épigramme (petit poème satirique)	des épigrammes mordantes
une épithète	une épithète désobligeante
une équivoque	**Cette** équivoque peut être gênante.
une HLM	Rénover une (ou un) HLM ancien(ne). (féminin ou masculin)
une idole	Johnny, l'idole incontestée du rock
une interview	Accorder une longue interview.
une météorite	une (ou un) lourd(e) météorite (féminin ou masculin)
une oasis	une verte oasis
une octave	Chanter la mélodie à l'octave supérieure.
une opinion	Avoir bonne opinion de soi-même ; se conformer à l'opinion générale.
une optique	Considérer le problème sous une optique différente ; vu sous **cette** optique.
une orbite	une orbite très creuse
une oriflamme (bannière, étendard)	des oriflammes chatoyantes
une stalactite (concrétion calcaire)	des stalactites impressionnantes
l'urticaire	une urticaire gênante
une volte-face (invariable)	des volte-face surprenantes

Des noms masculins

Mot	Exemple
un abîme	Un abîme marin est un abysse.
un aérolithe (météorite)	un impressionnant aérolithe
l'albâtre (minéral)	un précieux albâtre
l'alcool	un alcool fort
l'ambre	l'ambre gris
l'amiante	L'amiante est dangereux ; il est aujourd'hui interdit.
un antidote (contrepoison)	un bon antidote au chômage
l'antipode	L'antipode exact de la France est la Nouvelle-Zélande.
un antre (caverne, repaire)	un antre inquiétant
un apogée (le plus haut degré)	l'apogée incontesté de la civilisation grecque
un après-midi	un (ou une) après-midi mouvementé(e) (masculin ou féminin)
un armistice	Les deux pays ont signé un armistice.
un aromate	les aromates recommandés pour la recette
un arôme	le puissant arôme du café
un astérisque	un astérisque placé avant le mot
un augure	C'est de bon augure.
un cerne	un cerne bleu
un colchique (plante à fleur rose)	Le colchique est vénéneux.
un effluve (le plus souvent pluriel)	des effluves délicieux

Mot	Exemple
un éloge	un éloge émouvant, vibrant
un emblème	des emblèmes partout présents
un en-tête	un en-tête gravé en lettres d'or
l'épiderme	un épiderme délicat
l'épilogue	l'épilogue heureux d'une histoire d'amour
un épisode	le dernier épisode de la série
un équinoxe	L'équinoxe de printemps est célébré par des fêtes.
un esclandre	un esclandre inattendu et choquant
un escompte	L'escompte est déduit du prix.
un exode	un exode massif
un haltère	un haltère de plus en plus lourd dans chaque main
un harmonica	de nombreux harmonicas anciens
un hémicycle	L'hémicycle était à moitié plein.
un hémisphère	l'hémisphère droit du cerveau
un interstice	un étroit interstice entre deux planches
un intervalle	à intervalles réguliers
un isthme	l'isthme le plus étroit, le plus visité du globe
l'ivoire	un ivoire jauni, sculpté
le jade	un beau jade ancien
un météore	un prodigieux météore
un obélisque	un obélisque égyptien
l'opprobre	Subir un opprobre général.
un ovule	un ovule fécondé
l'ozone	L'ozone est menacé par les pollutions.
le saccharose	Le saccharose est présent dans la betterave.

Mot	Exemple
un succédané (produit de remplacement)	un succédané avantageux
un tentacule	les longs tentacules de la pieuvre
un termite	Les termites sont envahissants.
un tubercule	la pomme de terre, surnommée « le précieux tubercule »
le tulle	un tulle blanc, vaporeux

38 Remplacer les verbes passe-partout

● *Dans le classement des verbes les plus fréquents du français oral contemporain, les verbes* avoir, dire *et* faire *figurent parmi les cinq premiers.* Mettre *et* donner *sont aussi dans la liste.*

● *Comment éviter d'employer trop souvent ces verbes qui manquent de précision?*

Comment remplacer le verbe *avoir* ?

Remplacer *avoir*...	... par un verbe de sens plus précis
avoir un résultat	**obtenir** un résultat
avoir tel avantage	**bénéficier** de tel avantage
avoir un handicap	**souffrir** d'un handicap
avoir un sentiment de joie	**éprouver** un sentiment de joie
avoir une voiture	**posséder** une voiture
avoir une profession	**exercer** une profession
avoir des revenus	**disposer** de revenus
avoir un grand succès	**connaître**, **rencontrer**, **remporter** un grand succès
avoir un retard ; un préjudice	**subir** un retard ; un préjudice
avoir des difficultés	**rencontrer**, **éprouver** des difficultés
avoir du courage	**faire preuve** de courage

Remplacer le groupe verbal...	... par un seul verbe
avoir mal	**souffrir**
avoir à sa disposition une voiture	**disposer** d'une voiture

Remplacer le groupe verbal...	... par un seul verbe
avoir l'espoir de travailler	**espérer** travailler
avoir le souci de ses parents	**se soucier** de ses parents
avoir le regret de son enfance	**regretter** son enfance
avoir peur de sortir le soir	**craindre** de sortir le soir
avoir l'air heureux	**sembler**, **paraître** heureux
avoir peu de, n'avoir pas confiance	**manquer** de confiance
avoir un comportement normal	**se comporter** normalement (adverbe)

Remplacer *avoir*...	... en changeant la tournure
Le sportif a du courage.	Le sportif **est courageux.**
Le stagiaire a des diplômes.	Le stagiaire **est diplômé**.
L'artisan a une grande habileté.	L'artisan **est** très **habile**.
Le chanteur a soixante ans.	Le chanteur **est âgé** de soixante ans.
Il a des idées précises sur la question.	Ses idées sur la question **sont précises.**
Ils ont une maison en Provence.	Leur maison **est située** en Provence.

Comment remplacer le verbe *dire* ?

Remplacer *dire*...	... par un verbe de sens plus précis
dire une histoire	**raconter** une histoire
dire un secret	**confier** un secret
dire l'avenir	**prédire** l'avenir
dire son avis, son point de vue	**donner** son avis, son point de vue
dire des injures, des menaces	**proférer** des injures, des menaces
dire les faits	**exposer** les faits
dire ses remarques	**signaler** ses remarques
dire les propos de quelqu'un	**rapporter** les propos de quelqu'un

Remplacer *dire*...	... par un verbe de sens plus précis
dire une nouvelle	**annoncer** une nouvelle
dire sa pensée	**exprimer** sa pensée
dire ses difficultés, ses projets	**exposer** ses difficultés, ses projets
dire ses intentions	**révéler**, **dévoiler** ses intentions
dire son opinion avec assurance	**affirmer** son opinion
Cela me dit quelque chose.	Cela m'**évoque**, me **rappelle** quelque chose.

Remplacer le groupe verbal...	... par un seul verbe
dire des mensonges	**mentir**
dire en plus	**ajouter**
dire du mal	**médire**
dire souvent	**répéter**
dire tu, vous	**tutoyer**, **vouvoyer**
Que veut dire cela ?	Que **signifie** cela ?

Comment remplacer le verbe *faire* ?

Remplacer *faire*...	... par un verbe de sens plus précis
faire un sport, un métier	**pratiquer** un sport, **exercer** un métier
faire une erreur	**commettre** une erreur
faire des bénéfices	**réaliser** des bénéfices
faire un compte rendu	**rédiger** un compte rendu
faire un croquis	**exécuter** un croquis
faire des ennuis, du tort	**causer** des ennuis, du tort
faire jeune, vieux ; faire l'idiot	**avoir l'air**, **donner l'impression d'**être jeune, vieux ; **jouer à** l'idiot
faire semblant de se fâcher	**feindre** de se fâcher
faire une liste	**établir**, **dresser** une liste

Remplacer *faire*...	... par un verbe de sens plus précis
faire un meuble	**fabriquer** un meuble
faire un bijou	**confectionner** un bijou
faire un procès	**intenter** un procès
faire 1 m 80, 1 kg, 100 €	**mesurer** 1 m 80, **peser** 1 kg, **coûter** 100 €
faire deux kilomètres à pied	**parcourir** deux kilomètres à pied
faire une mission	**accomplir** une mission
faire un travail	**effectuer** un travail
faire une enquête	**procéder** à une enquête

Remplacer le groupe verbal...	... par un seul verbe
faire l'effort de	**s'efforcer de**
faire des dettes	**s'endetter**
faire des économies	**économiser**
faire des projets	**projeter**
faire des progrès	**progresser**
faire des reproches	**reprocher**
faire des voyages	**voyager**

Remplacer *faire* + infinitif...	... par un verbe synonyme
faire durer	**prolonger**
faire peur	**effrayer**
faire tomber	**renverser**
faire savoir	**informer, prévenir**
faire voir	**montrer**
faire penser	**rappeler, évoquer, suggérer**

Remplacer *faire*...	... en changeant la tournure
Tu ferais mieux de partir.	Tu **devrais** partir.
Il s'est fait licencier.	Il **a été licencié.**

Remplacer *faire*...	... en changeant la tournure
Il s'est fait rembourser 200 € par son assurance.	Son assurance **lui a remboursé** 200 €.

Comment remplacer le verbe *mettre* ?

Remplacer *mettre*...	... par un verbe de sens plus précis
mettre un nom sur un document	**écrire**, **inscrire** un nom sur un document
mettre de l'argent à la banque	**placer**, **déposer** de l'argent à la banque
mettre sur un support	**poser** sur un support
mettre à la poubelle	**jeter** à la poubelle
mettre un vêtement, des gants	**enfiler** un vêtement, des gants

Remplacer le groupe verbal...	... par un seul verbe
mettre en place	**placer, installer**
mettre sur pied	**préparer, organiser**
mettre au courant	**informer**
mettre en confiance	**rassurer**
mettre de côté	**garder**
mettre ensemble	**rassembler, réunir**
mettre en cause	**accuser**
mettre à part	**écarter**
mettre à l'épreuve	**éprouver**
(se) mettre à l'abri	**(s')abriter**
(se) mettre à l'écart	**(s')écarter**
mettre en doute	**douter de**
(se) mettre d'accord	**(s')accorder**

Comment remplacer le verbe *donner* ?

Remplacer *donner*...	... par un verbe de sens plus précis
donner un prix	**attribuer**, **décerner** un prix
donner un délai	**accorder** un délai
donner sa confiance	**accorder** sa confiance
donner un stage	**procurer** un stage
donner l'heure	**indiquer** l'heure
donner les cartes	**distribuer** les cartes
donner un conseil, des soins	**prodiguer** un conseil, des soins
donner du souci, du chagrin	**causer** du souci, du chagrin
donner l'occasion de voyager	**fournir** l'occasion de voyager
donner de l'importance à un détail (le juger important)	**attacher** de l'importance à un détail
donner de l'importance à un détail (le rendre important)	**conférer** de l'importance à un détail

Remplacer un groupe verbal...	... par un seul verbe
donner des cours	**enseigner**
donner un coup de main	**aider**
donner un cadeau	**offrir**
donner un conseil	**conseiller**
donner sa démission	**démissionner**
donner une réponse	**répondre**
donner une gifle	**gifler**

39 Distinguer des mots de sens proche

Responsable, mais pas coupable.

Cette phrase met en relation deux mots, mais elle invite à les distinguer. En effet, le mot **coupable** *dit bien qu'on est* **responsable**, *tout en précisant qu'on est responsable d'une faute. Bon nombre de mots s'organisent ainsi par « couples ». Leur rapprochement met en évidence leurs différences.*

une alternative • un dilemme

une alternative : une situation dans laquelle deux possibilités se présentent, entre lesquelles il faut choisir

Être placé devant l'alternative : boire ou conduire.

un dilemme : une alternative spécialement difficile à affronter, les deux possibilités qui se présentent étant contradictoires et les solutions également douloureuses

Exemple de dilemme tragique : faut-il tenter de secourir une personne sachant que l'on risque de mettre la vie des autres en danger ?

analogue • identique

analogue : qui présente quelques similitudes, qui est comparable

Évoquer des souvenirs analogues.

identique : qui est en tous points semblable à autre chose

Acheter deux petits meubles identiques.

anoblir • ennoblir

anoblir : conférer un titre de noblesse

Sean Connery a été anobli par la reine d'Angleterre.

ennoblir : donner de la noblesse ou une grandeur morale à quelqu'un ou à quelque chose

Un peintre réaliste ne cherche pas à ennoblir son sujet.

assurer • promettre

assurer : affirmer, garantir

Je vous assure que je n'y suis pour rien.

promettre : s'engager envers quelqu'un; garantir, affirmer (mais ne doit être employé que pour faire référence au futur)

Je te promets que je viendrai (et non pas : je te promets que je ne l'ai pas vu).

ceci • cela

ceci : indique ce qui va être dit

Ceci est mon testament.

cela : indique ce qui a été dit

Cela dit; cela étant dit.

La différence est la même entre **voici** et **voilà**.

Voici venir les jours... Voilà à quoi ça t'a servi.

la cohérence • la cohésion

la cohérence : la liaison étroite d'idées qui s'accordent entre elles

Veiller à la cohérence d'un raisonnement, d'une décision.

la cohésion : le caractère d'un ensemble dont les parties sont solidaires

Il existe une bonne cohésion dans le groupe.

colorer • colorier

colorer : donner de la couleur (nom dérivé : *coloration*)

L'émotion colore son visage.

colorier : appliquer des couleurs sur une surface (nom dérivé : *coloriage*)

Colorier des images.

congénital • héréditaire

congénital : qui apparaît dès la naissance, qui a son origine dans la vie intra-utérine

Cette malformation est congénitale.

héréditaire : qui se transmet aux descendants ; qui est transmis par les ascendants

L'hémophilie est une affection héréditaire transmise par les femmes aux enfants mâles.

la découverte • l'invention

la découverte : elle consiste à faire connaître ce qui existe mais était caché ou inconnu jusque-là

La découverte de l'Amérique, de la radioactivité, d'un trésor, d'un site gallo-romain.

l'invention : elle consiste à concevoir un procédé ou un objet qui n'existait pas jusque-là

L'invention du téléphone, de la carte à puce.
(Pourtant on dit l'inventeur d'un trésor, d'un site gallo-romain pour désigner celui qui l'a découvert.)

dédicacer • dédier

dédicacer : signer l'exemplaire d'un ouvrage dont on est l'auteur

L'auteur dédicacera ses ouvrages au Salon du livre, le mardi 8.

dédier : mettre une œuvre sous le patronage de quelqu'un

Le documentariste dédie son film à ses amis disparus.

délivrer • libérer

délivrer : on délivre celui qui est captif, entravé

On délivre un animal pris au piège.

libérer : on libère celui qui est prisonnier, enfermé, privé de liberté

On libère un prisonnier qui a purgé sa peine.
On libère un pays d'une occupation étrangère.

démythifier • démystifier

démythifier : ôter à quelque chose ou à quelqu'un sa valeur de mythe

Déboulonner les statues et démythifier l'image du héros.

démystifier : détromper des victimes d'une mystification (d'une illusion, d'une tromperie)

Démystifier les téléspectateurs naïfs.

dessécher • assécher

dessécher : rendre sec

Le vent dessèche la peau.

assécher : mettre à sec

Assécher un étang.

l'égalité • l'équité

l'égalité : le caractère de ce qui est égal, de même qualité, de même valeur

Respecter l'égalité des citoyens devant la loi.

l'équité : le caractère de ce qui est juste

Distribuer des ressources avec équité (faire en sorte que ceux qui ont moins reçoivent plus).

emménager • aménager

emménager : s'installer dans un nouveau logement

Nous déménageons le 17 et nous emménagerons le 18.

aménager : disposer, organiser un espace pour un certain usage

Aménager une chambre en bureau.

enfantin • infantile

enfantin : qui caractérise l'enfance

Une réaction enfantine (propre à l'enfance).
Se dit aussi de ce qui est simple, facile :
un problème enfantin.

infantile : même sens mais avec une valeur péjorative

Une réaction infantile (qui n'est pas digne d'un adulte).
Le mot est sans valeur péjorative dans les maladies infantiles : qui touchent les enfants en bas âge.

éphémère • provisoire

éphémère : qui est de courte durée

Les premières amours sont quelquefois éphémères.

provisoire : qui n'est pas définitif

Une solution provisoire a été retenue, en attendant le règlement de l'affaire.

gourmand • gourmet

gourmand : qui aime manger, sans modération

Il est gourmand de pâtisseries et de choux à la crème.

gourmet : qui apprécie, en connaisseur raffiné, les bons plats

Il a dégusté le repas en vrai gourmet.

la graduation • la gradation

la graduation : la division en degrés sur un instrument de mesure

Les graduations d'un verre doseur permettent de mesurer la quantité de chaque ingrédient.

la gradation : l'accroissement ou le décroissement progressif

La gradation de couleurs dans ce massif va du rose pâle au rouge.

hiberner • hiverner

hiberner : passer l'hiver dans un engourdissement total

La marmotte hiberne.

hiverner : passer l'hiver à l'abri

Les troupeaux descendent des alpages pour hiverner dans la plaine.

illettré • analphabète

illettré : qui lit et écrit avec difficulté, qui a mal appris ou oublié

L'abus des jeux vidéo fabriquerait-il des illettrés ?

analphabète : qui ne sait ni lire ni écrire

Créer des écoles pour réduire le nombre des analphabètes.

immoral • amoral

immoral : qui est contraire à la morale, qui transgresse les règles de la morale

Un individu immoral, pervers ; une conduite immorale.

amoral : qui est sans morale, qui ne peut avoir de notion de la morale

Les lois de la nature sont amorales.

l'inclination • l'inclinaison

l'inclination : le mouvement du corps ou de la tête
Saluer par une discrète inclination de tête.
au sens figuré : le goût, le « penchant »
Avoir de l'inclination pour la musique.

l'inclinaison : l'état de ce qui est oblique ou penché
Régler l'inclinaison d'un siège.

l'intégration • l'assimilation

l'intégration : le fait qu'un individu trouve sa place dans la vie sociale et les institutions d'un pays d'accueil
Une politique d'intégration pour les travailleurs immigrés est nécessaire.

l'assimilation : le fait qu'une communauté s'approprie peu à peu les valeurs, les normes et la culture d'un pays d'accueil
La musique, le cinéma et les modes alimentaires ont favorisé l'assimilation des immigrants à la société américaine.

l'intégrité • l'intégralité

l'intégrité : l'état de ce qui demeure intact
Lutter pour l'intégrité du territoire.
appliqué à une personne, signifie l'honnêteté
Admirer l'intégrité d'un juge, d'un commerçant.

l'intégralité : l'état de ce qui demeure complet
Lire un texte dans son intégralité.

jadis • naguère

jadis : il y a longtemps, dans un passé lointain
Jadis, les exécutions publiques n'étaient pas rares.

naguère : il y a peu de temps (il n'y a guère de temps)
Naguère, la peine de mort existait encore.

judiciaire • juridique

judiciaire : qui concerne la justice
La police judiciaire est exercée par la gendarmerie et la police nationales ; avoir un casier judiciaire vierge.

juridique : qui relève du droit

Faire des études juridiques ; un vide juridique.

la justesse • la justice

la justesse : l'exactitude, la précision, la pertinence

La justesse du calcul, du raisonnement,
montre la précision du physicien.

la justice : qui respecte le droit et les mérites

Traiter quelqu'un avec justice.

légal • légitime

légal : qui est conforme à la loi

L'IVG est légale en France depuis 1975.

légitime : qui est conforme au droit naturel ; qui est justifié, fondé

L'accusé a plaidé la légitime défense. Une plainte légitime.

marin • maritime

marin : qui est dans la mer ou qui appartient étroitement à la mer

Les plantes marines, l'air marin, le sel marin.

maritime : qui est dans le voisinage de la mer, sur les côtes

On trouve le pin maritime dans le massif des Landes.

la maturité • la maturation

la maturité : état de ce qui est mûr, qui a atteint son plein développement

Un fruit parvenu à maturité est meilleur.

Ce jeune homme manque de maturité.

la maturation : le fait de mûrir

La maturation des fruits se fait souvent en serre.

La lente maturation d'un projet (ne s'emploie pas pour les personnes).

médiéval • moyenâgeux

médiéval : de l'époque du Moyen Âge

Les auteurs de la littérature médiévale sont souvent inconnus.

moyenâgeux : se dit péjorativement ou par ironie de ce qui apparaît comme appartenant au Moyen Âge

Un donjon moyenâgeux (dans le goût du Moyen Âge) ; un mode de vie moyenâgeux.

la médisance • la calomnie

la médisance : consiste à discréditer quelqu'un en rapportant des propos que l'on croit vrais

On a rapporté toutes sortes de médisances sur la vie privée de l'artiste.

la calomnie : consiste à nuire à la réputation de quelqu'un en répandant exprès des mensonges

L'innocent est victime des plus graves calomnies.

le mobile • le motif

le mobile : ce qui détermine la volonté subjectivement, qui pousse à agir avant l'action

Le mobile du crime est connu.

le motif : ce qui détermine rationnellement une action, en fonction de l'objectif que l'on se fixe

S'engager pour des motifs humanitaires.
Voici le motif de ma visite.

mutuel • réciproque

mutuel : qui implique un échange entre deux ou plusieurs personnes ou plusieurs choses

Le divorce par consentement mutuel est plus simple.

Tous les associés s'étaient engagés par un accord mutuel.

réciproque : qui implique un échange à part égale entre deux personnes, deux groupes, deux choses

Éprouver un amour réciproque.

neuf • nouveau

neuf : qui n'a jamais été utilisé (se place après le nom)

Nous avons acheté une voiture neuve.

nouveau : qui apparaît pour la première fois ou que l'on possède depuis peu (se place avant le nom)

Nous avons acheté une nouvelle voiture d'occasion.

notable • notoire

notable : qui mérite d'être noté, donc important

Un événement notable a animé la petite ville.

notoire : qui est avéré, connu de tous

L'incompétence de cet homme politique est notoire.

officiel • officieux

officiel : ce qui a été certifié par une autorité reconnue

Les résultats officiels viennent d'être publiés.

officieux : ce qui est communiqué par une source autorisée mais sans garantie officielle

Ne prenez aucune mesure : la nouvelle n'est encore qu'officieuse.

oppresser • opprimer

oppresser : gêner la respiration

La chaleur l'oppressait.

opprimer : soumettre à une autorité excessive

Opprimer un peuple ; opprimer les consciences.

original • originel

original : 1. qui n'a pas eu de modèle mais peut servir de modèle

Acheter une édition originale ; regarder un film en version originale.

2. qui apparaît comme nouveau, qui sort de l'ordinaire

Fêter la nouvelle année dans le désert est une idée originale.

originel : qui remonte jusqu'à l'origine

Employer un mot dans son sens originel ; le péché originel.

parmi • entre

parmi : situé au milieu de plusieurs éléments

Il s'agit d'une solution parmi d'autres.

entre : situé au milieu de deux éléments

Mettre entre parenthèses, entre guillemets.
Entre deux maux, il faut choisir le moindre.

partial • partiel

partial : qui a des préférences, qui prend parti sans souci d'objectivité

La justice ne doit en aucun cas être partiale.

partiel : qui n'est qu'une partie d'un ensemble

Observer une éclipse partielle ; travailler à temps partiel.

pédestre • piétonnier

pédestre : qui se fait à pied

Une randonnée pédestre est organisée dans le massif de l'Oisans.

piétonnier : qui est réservé aux piétons

La plupart des boutiques se trouvent dans le quartier piétonnier.

possible • probable

possible : qui est réalisable

Il est possible de venir par le train en changeant deux fois.

probable : qui a de grandes chances de se produire

Il est probable qu'elles viendront en avion.

la prévoyance • une prévision

la prévoyance : qui envisage et organise ce qui peut arriver avec intelligence et sagesse

Se laisser prendre au dépourvu par manque de prévoyance.

une prévision : un raisonnement sur les événements futurs

Les prévisions météorologiques sont bonnes pour le week-end.

La prévision est optimiste.

la prolongation • le prolongement

la prolongation : l'action de prolonger dans le temps

Bénéficier d'une prolongation ; jouer les prolongations pour départager les équipes.

le prolongement : ce qui s'étend en longueur, dans l'espace

Tendez vos bras dans le prolongement du corps.

le racisme • la xénophobie

le racisme : haine ou mépris dirigés contre des personnes en raison de leur appartenance ethnique

Le racisme contre les Noirs, contre les Arabes, conduit à des drames.

la xénophobie : haine de l'étranger ou de ce qui vient de l'étranger

La xénophobie s'accompagne d'un repli sur soi.

raisonnable • rationnel

raisonnable : qui est conforme à la raison pratique ; qui est sensé et réfléchi

En grandissant, l'enfant devient raisonnable.

rationnel : que la raison théorique peut expliquer et comprendre ; qui est logique et cohérent

Utiliser une méthode rationnelle; une démarche rationnelle pour résoudre un problème.

transparent • translucide

transparent : qui peut être traversé par la lumière et laisse voir les objets à travers son épaisseur

L'eau est transparente. Les vitres sont transparentes.

translucide : qui laisse passer un peu de lumière mais ne permet pas de voir au travers

Admirer une porcelaine translucide.

vivable • viable

vivable : où, avec qui, avec quoi l'on peut vivre

Avec tous ces travaux, le quartier n'est plus vivable.

viable : qui peut avoir une certaine durée de vie et se développer

À cette date, l'enfant est reconnu viable.
Fondée sur des bases solides, l'entreprise est viable.

40 Utiliser le mot qui convient

● *Si vous dites que vous avez vu des* **crocodiles** *en Floride, on ne vous croira pas : vous aurez employé le mauvais mot pour en parler. Les « crocodiles » qui vivent en Floride ou en Louisiane sont des* **alligators**... *Et ceux d'Amérique centrale et du Sud sont des...* **caïmans.**

● *Attention à bien distinguer les mots par leur emploi précis.*

Les mots de la culture

- Dans l'Antiquité, un **théâtre** est un édifice à gradins de forme semi-circulaire destiné aux représentations dramatiques.
Un **amphithéâtre** est un édifice à gradins de forme circulaire destiné aux combats de gladiateurs ou d'animaux.
Un **cirque** est un édifice à gradins de forme rectangulaire, arrondi aux deux extrémités, destiné aux courses de chars.

- Le **papyrus** sur lequel écrivaient les Anciens est obtenu à partir de la tige de cette plante, le papyrus.
Le **parchemin** est une peau d'animal préparée pour l'écriture.

- Au Moyen Âge, un poète, chanteur, jongleur qui se produit dans les pays de langue d'oïl (Flandre, Normandie, Champagne, Artois) est un **troubadour**. S'il se produit dans les pays de langue d'oc (au sud), on l'appelle **trouvère**.

- Le **tournoi** est la fête du temps de la chevalerie. C'est la **joute** qui est le combat d'homme à homme, à cheval, avec une lance.

- Une revue **bimestrielle** paraît tous les deux mois.
Une revue **bimensuelle** paraît deux fois par mois.

- Dans un orchestre, les flûtes, hautbois, clarinettes, bassons, cors anglais... sont appelés **les bois**. Les cors, trompettes, trombones, tubas, saxhorns, clairons... sont appelés **les cuivres**. **Bois et cuivres** forment **les instruments à vent**. Les violons, altos, violoncelles, contrebasses sont **les cordes**.

Les mots de la justice

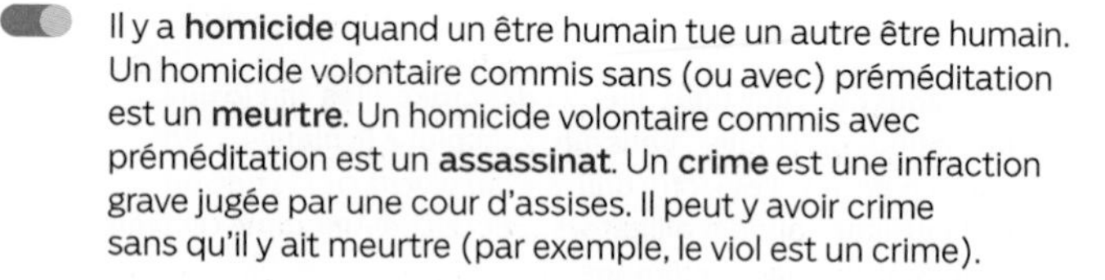

Il y a **homicide** quand un être humain tue un autre être humain. Un homicide volontaire commis sans (ou avec) préméditation est un **meurtre**. Un homicide volontaire commis avec préméditation est un **assassinat**. Un **crime** est une infraction grave jugée par une cour d'assises. Il peut y avoir crime sans qu'il y ait meurtre (par exemple, le viol est un crime).

Une personne **mise en examen** (cette expression remplace le mot **inculpé**) est soupçonnée d'un crime ou d'un délit et envoyée devant le juge d'instruction.
Un **prévenu** est une personne citée à comparaître devant le tribunal de police qui juge les contraventions ou le tribunal correctionnel qui juge les délits. Un **accusé** est une personne envoyée devant une cour d'assises, qui juge des crimes.

Une **cour d'appel** réexamine les décisions rendues par les tribunaux et apporte une seconde appréciation sur les faits. Elle confirme ou infirme les premières décisions.
La **Cour de cassation** ne juge pas du fond mais de la légalité des décisions. Son rôle est de juger en droit si la cour d'appel s'est trompée. On dit que l'on **fait appel** d'un jugement et que l'on **se pourvoit** en cassation.
Une **cour d'assises** est une juridiction compétente uniquement pour juger les faits qualifiés de crimes par la loi.

Un **non-lieu** est la décision par laquelle le juge d'instruction déclare qu'il n'y a pas lieu d'engager des poursuites.
La **relaxe** est la décision par laquelle un prévenu accusé de délits est remis en liberté. L'**acquittement** est prononcé par une cour d'assises ; il déclare un accusé non coupable.

Un **jugement** est une décision de justice émanant d'un tribunal. Un **verdict** est la déclaration par laquelle un jury répond, après délibération, aux questions posées par la Cour (culpabilité ou acquittement). Une **ordonnance** est une décision émanant d'un juge unique (par exemple, une ordonnance de non-lieu). Une **sentence** est un jugement rendu par un tribunal d'instance (qui traite des litiges).
Un **arrêt** est la décision d'une cour souveraine ou d'une haute juridiction (arrêt de la Cour de cassation, du Conseil d'État).

Les mots de la médecine

- Un **embryon** est le produit de la conception antérieur à la neuvième semaine du développement dans l'utérus. Un **fœtus** est le produit de la conception à partir du troisième mois du développement dans l'utérus.

- Un enfant âgé de moins de 28 jours est un **nouveau-né**. Un enfant âgé de plus de 28 jours et de moins de 2 ans est un **nourrisson**.

- Les **symptômes** sont les phénomènes observables qui permettent de déceler la présence ou l'évolution d'une maladie. Un **syndrome** est l'ensemble des symptômes qui peuvent s'observer dans plusieurs états pathologiques différents.

- Le **psychologue** est le spécialiste de la psychologie, en particulier la psychologie appliquée (psychothérapie, psychologie de l'enfant...). Le **psychiatre** est un médecin, spécialiste des maladies mentales ou des troubles psychiques. Le **psychanalyste** est une personne qui pratique sur des patients la méthode d'investigation de l'inconscient enseignée par Sigmund Freud.

- Une **artère** conduit le sang du cœur aux organes. Une **veine** est un vaisseau qui ramène le sang vers le cœur.

Les mots de la nature

- Les **pierres précieuses** sont le diamant, le rubis, l'émeraude et le saphir. Les autres gemmes (agate, jade, grenat, malachite, topaze...) sont des **pierres fines**.

- À chaque animal son cri. Pour s'en tenir aux mammifères : l'âne **brait** ; le cerf **brame** ; le taureau **mugit** ; le bœuf, la vache **beuglent** ou **meuglent** ; les brebis, les chèvres **bêlent** ; le cheval, le zèbre **hennissent** ; le cochon **grogne** ; l'éléphant **barrit** ; le lion **rugit** ; le loup **hurle** ; l'ours **grogne** ; la panthère, le tigre **feulent** ; le renard **glapit** ; la marmotte **siffle** ; le singe **crie** ; la baleine **chante**, etc.

Les **pingouins** nagent et volent. Ils peuplent les régions arctiques (le pôle Nord). Les **manchots** nagent mais ne volent pas. Ils peuplent les régions antarctiques (le pôle Sud).
Le **chamois** des Pyrénées est un **isard**. L'**ours** des montagnes Rocheuses est un **grizzli**. L'**élan** du Canada est un **orignal**.
Le **renne** du Canada est un **caribou**.

Le versant d'une montagne exposé au nord est l'**ubac**.
Le versant exposé au sud est l'**adret**.

Le **mistral** est un vent fort, sec et froid, venant du nord par la vallée du Rhône et soufflant vers la mer sur le Midi de la France. La **tramontane** est un vent froid du nord-ouest soufflant sur le Languedoc et le Roussillon.

Un **cyclone** est une perturbation tourbillonnaire qui se forme au-dessus des eaux chaudes entre les tropiques.
Il est caractérisé par des pluies torrentielles et des vents violents. Un **ouragan** est un cyclone de la zone des Caraïbes et de l'Atlantique Nord. Un cyclone de la mer de Chine et de l'océan Indien est un **typhon**. Un **tsunami** est un raz-de-marée dû à un séisme ou à une éruption volcanique en mer.
C'est une énorme vague formant un mur d'eau arrivant à grande vitesse et déferlant sur le littoral.

Un **lagon** est une étendue d'eau salée entre la terre et un récif corallien. Un **atoll** est une île corallienne formant un anneau de terre qui entoure une lagune.

La **brousse**, dans les régions chaudes, est une zone couverte d'épaisses broussailles. La **steppe** est une vaste plaine herbeuse des zones arides, sans arbres, à la végétation pauvre.
La **toundra**, dans les régions arctiques, est une vaste étendue, gelée en profondeur, sur laquelle poussent des mousses et des lichens. La **taïga** est la forêt de conifères qui borde la toundra.

Les mots de la politique

- Les **lois** sont les règles obligatoires sanctionnées par la force publique. Les **ordonnances** sont des textes législatifs émanant du pouvoir exécutif. Les **arrêtés** sont des décisions écrites qui émanent d'une autorité administrative (ministre, préfet, maire).

- Dans le cours d'une guerre, un **cessez-le-feu** est la suspension des hostilités ; il peut être décidé par l'autorité militaire. Un **armistice** est la cessation générale et définitive d'une guerre ; il relève de l'autorité politique ; les deux partis en négocient les conditions. S'il y a **capitulation**, les vainqueurs imposent leurs conditions aux vaincus, qui se rendent.

- Une **révolution** est le renversement durable d'un régime en place, entraînant des changements profonds dans la société, la politique et l'économie. Un **coup d'État** est la conquête ou une tentative de conquête du pouvoir par des moyens illégaux. Une **insurrection** est un soulèvement qui vise à renverser le pouvoir établi ; elle implique que l'on refuse de reconnaître comme légitime l'autorité à laquelle on était jusqu'alors soumis.

- Une **république** est une forme de gouvernement où le pouvoir n'est pas détenu par un seul homme et où la fonction du chef de l'État n'est pas héréditaire. Une **démocratie** est un État pourvu d'institutions démocratiques : le peuple élit ses représentants, les lois garantissent le respect de la liberté et l'égalité des citoyens. De nombreux pays européens, qui sont des démocraties, ne sont pas des républiques (la Belgique, l'Espagne, les Pays-Bas...).

- En France, sous la Ve République, les députés, élus au suffrage direct, forment l'**Assemblée nationale**, appelée aussi **Chambre des députés**. L'autre Chambre est le **Sénat**. Les deux assemblées constituent le **Parlement**. Si un projet de révision de la Constitution est soumis au Parlement, celui-ci est alors convoqué en **congrès**.

- Un **maire** s'appelle le **bourgmestre** en Belgique, en Suisse et aux Pays-Bas.

Les mots de la religion

- **Israélite** qualifie ce qui appartient à la religion juive (par exemple : le culte israélite). **Israélien** qualifie ce qui appartient à l'État d'Israël (par exemple : le Parlement israélien : la Knesset).

- Un **hindou** est un adepte de la religion hindouiste (le brahmanisme). Un **Indien** est un habitant de l'Inde. (On disait aussi « Indien » pour les populations indigènes d'Amérique. On dit aujourd'hui « Amérindien »).

- Les **Arabes** sont les populations originaires de la péninsule arabique qui se sont répandues dans de nombreux pays du pourtour méditerranéen. Les **musulmans** sont les adeptes de l'islam, la religion musulmane (les Indonésiens, par exemple, ne sont pas arabes mais ils sont musulmans à plus de 80 %).

- Selon les règles de l'Église catholique, celui qui est mis au nombre des saints est **canonisé**. Celui qui est mis au nombre des « bienheureux » est **béatifié**. **Sanctifier** signifie rendre sacré (un lieu par exemple).

- Un **concile** est l'assemblée des évêques de l'Église catholique. Un **conclave** est l'assemblée des cardinaux réunie à huis clos pour élire le pape.

Les mots de la science

- La force qui éloigne du centre est la force **centrifuge**. La force qui fait converger vers le centre est la force **centripète**.

- Ce qui est arrondi vers l'extérieur est **convexe**. Ce qui est arrondi vers l'intérieur est **concave**.

- Le **thermomètre** mesure la température. Le **baromètre** mesure la pression atmosphérique. L'**hygromètre** mesure le degré d'humidité de l'air. L'**anémomètre** mesure la vitesse du vent.

Une **étoile** est un corps céleste lumineux par lui-même (le Soleil est une étoile). Une **planète** est un corps céleste sans lumière propre, qui est éclairé par les étoiles (la Terre est une planète). Tous deux sont des **astres**.

Les mots de la société

On parle le français dans les pays **francophones** ; l'anglais dans les pays **anglophones** ; l'allemand dans les pays **germanophones** ; le portugais dans les pays **lusophones** ; l'espagnol dans les pays **hispanophones**.

Un **employé** est un salarié employé à un travail non manuel (donc différent de celui de l'**ouvrier**) dans une entreprise, à différencier du **cadre** ou de l'**agent de maîtrise**. Un **fonctionnaire** occupe un emploi permanent dans une administration publique. Un **agent** est un employé de service public ou d'entreprise privée qui sert généralement d'intermédiaire entre la direction et les usagers. Un **commis** est un agent subalterne d'une administration, d'une banque, d'un commerce.

On parle de la **paye** d'un ouvrier ; du **salaire** d'un cadre ; des **appointements** d'un employé ; du **traitement** d'un fonctionnaire ; de la **solde** d'un militaire ; du **cachet** d'un artiste ; des **honoraires** d'un médecin, d'un avocat.

Sont **collègues** deux personnes qui travaillent dans la fonction publique ; sont **confrères** deux personnes qui exercent une profession libérale (médecins, avocats...).

On **met à jour** une liste, un catalogue, un dossier, un site Internet. **Mettre à jour** signifie que l'on classe et actualise des données, en tenant compte d'éléments nouveaux. On **met au jour** des vestiges archéologiques, une affaire de contrefaçon, un réseau de trafiquants. **Mettre au jour** signifie exhumer ce qui était enfoui, révéler ce qui était caché, faire apparaître au grand jour.

INDEX

Index des principales difficultés

Sont indexés les mots pour lesquels une difficulté est précisée dans l'ouvrage (confusion, genre, construction...).
Les entrées de l'index sont regroupées par type de difficultés.
Les numéros des pages sont dans la couleur de partie.

Des mots souvent confondus

Des mots polysémiques (qui ont plusieurs sens)

Des associations et pléonasmes à éviter

Masculin ou féminin ?

Des verbes et leur construction (intransitifs, transitifs directs ou indirects, etc.)

Achevé d'imprimer en Italie par Bona S.p.A.
Dépôt légal 04462-3/07 - Mars 2022